「ののちゃんのDO科学」で

サイエンスが好きになる

大人(おとな)も知らない

朝日新聞科学みらい部

講談社

はじめに

世の中にはサイエンスがあふれている

「ののちゃんのDO科学」は、朝日新聞が土曜日に発行している別刷り「ｂｅ」に掲載している記事です。世の中にひそむ「ふしぎ」、サイエンスの「謎」を、ののちゃん（小学校3年生）と担任の藤原先生が対話をしながら解き明かしていく内容です。

本書には、そのうち51回分のテーマを取り上げています。

原動力は、読者からの質問です。朝日新聞科学みらい部には日々、はがきや封書、メールが届きます。

質問を寄せてくれるのは、子どもたちだけではありません。年齢も多彩。質問内容も、読者層の幅広さを感じます。

その多岐にわたる質問をもとに、記者があちこち調べものをしたり、その道の専門家、研究者に協力を仰いだり。記者たちだって、その謎やふしぎに迫りたいと取材を進めます。

記事には理解を助ける図を一つつけますが、原稿は限られた行数です。さて、どうまとめようか。そこが科学記者の腕の見せどころでもあります。

一方で、悩ましいのが、記事がさらなる謎やふしぎを呼び寄せること。でもそれは、すばらしいことでもあります。

謎やふしぎの一端が明らかになると、さらに謎が深まる。わかったと思ったら、さらに興味深いふしぎに出合う。そうやってサイエンスが発展してきたのですから。

日常生活の中で、自宅の台所や食卓、お風呂、なにげないタイミングで謎に気づくかもしれません。通学や通勤の途中でもきっと、ふしぎに出合っているはず。

「なんだこれは？」と思われたらぜひ、質問をお寄せください(住所、郵便番号、名前、年齢、電話番号、学年または職業を書いて、〒104-8011 朝日新聞科学みらい部　ののちゃんのDO科学係へ。メールはscience@asahi.comへ)。

世の中にはサイエンスがあふれていて、探求に終わりはありません。本書が、サイエンスの興味深さに触れる一助になれば幸いです。

2024年1月

朝日新聞科学みらい部

『大人も知らない 科学のふしぎ』目次

第3章 食べもののふしぎ

第4章 社会と科学のふしぎ

第5章 宇宙と地球のふしぎ

本書をお読みになる前に

◇本書は、「朝日新聞 be」の連載「ののちゃんのDO科学」の2006年１月から2023年10月までの約860回の記事より、読者の関心が高いと思われる51回の記事を選び、１冊にまとめたものです。

◇「ののちゃんのDO科学」は、朝日新聞の読者のみなさんから寄せられた、食べものや生きもの、地球と宇宙、科学、くらしのふしぎをののちゃんの質問として、ののちゃんと掛け合いながら、藤原先生が図解とともにわかりやすく解説するものです。
　ののちゃんと藤原先生は、朝日新聞朝刊に連載されている４コママンガ、いしいひさいち作「ののちゃん」のキャラクターです。

◇本書では、「第１章 からだのふしぎ」「第２章 生きもののふしぎ」「第３章 食べもののふしぎ」「第４章 社会と科学のふしぎ」「第５章 宇宙と地球のふしぎ」に分け、好きなジャンル、興味のあるテーマから読めるようにしてあります。

◇なお、質問者や取材協力者は掲載当時のままですが、タイトルや内容を一部加筆修正しています。

●登場人物●

ののちゃん
（山田のの子）
食いしん坊で活発な
小学３年生

藤原先生
（藤原 瞳）
ののちゃんの担任で、
お酒好き

第1章

からだのふしぎ

Q01 なぜ、人間には寿命があるの？

熊本県・北森照男さんからの質問

長生きのしすぎは、不利なこともあるから

ののちゃん　日本は長寿の国って聞いたよ。でも、人は結局は死ぬんだよね。生きものにはみんな寿命があるんだもんね。

藤原先生　それは誤解よ。天敵に食べられたり、飢えや病気に見舞われたりしなければ、ずっと生き続ける生物たちもいるの。むしろそれが生物のもともとの姿で、寿命という現象は進化の途中から現れたの。

えっ、そうなの？

植物には樹齢が数千年の木もあるし、アメリカの砂漠に生える低木「クレオソートブッシュ」には推定約1万2000年の株もあるの。これらは火災でもなければもっと長生きしそうで、実質的に寿命はないわ。

1万年超！

動物にはたいてい寿命があるけれど、クラゲの仲間や、小さなアブラミミズなどには、からだが分かれて数を増やしながらずっと生き続ける種類もいるのよ。ただ、寿命については、観察にかかる時間も手間も大変なので不明な部分も多いわね。

寿命なんてないといいな。

たとえば電気製品だと、10年ほどで寿命になるものが多いよね。もっと長持ちさせようとすれば、じょうぶな部品を使ったり、古くなると増える故障を直し続けたりと、とても高くつくでしょ。

だから、あとで新品と交換する作業が大変など、よほどの事情でもない限りは引き合わないのよ。動物も同じらしいの。

というと？

長寿の木は毎年、タネをつくり続けるけれど、動物の場合は、子どもを産んだり守ったりする期間よりも長く生きるしくみが進化することは、むずかしいのよ。

なぜなら、そんな超長生き遺伝子をもっていても、それによって子どもの数が増えるわけでも生存率が上がるわけでもな

徐福像

こわい始皇帝から「不死の薬を探せ」と命じられて船出し、戻らなかった。無理もない

イガゴヨウマツ

年輪が4800本以上数えられた木(アメリカ産)も

ミズクラゲ

イソギンチャク状(直径約1ミリ)で芽を出すように増えながら(〇)生き続ける。クラゲ状に育った場合は寿命がある

グラフィック・野口 哲平 / The Asahi Shimbun

く、「高くつく」だけでしょ。そういう遺伝子は子孫に広がりようがないわけ。

うーん。

あまりに長生きだと、子ども世代と食料や生息場所などで競合してしまって世代交代が抑えられ、生存競争や環境の変動に遺伝子レベルで適応していくのが遅くなり、生き残っていくうえで、かえって不利になってしまうでしょうね。

でも、人間は子育てを終えたあとも長く生きるよ。

栄養の良さや医療のおかげで、自然ではそうはいかないほど長生きしている面もあるし、「孫育て」に貢献することで高くついても引き合うように進化したのでは、という見方もあるよ。

それでも不老不死は無理？

無理でしょうね。

（取材協力＝鈴木英治・鹿児島大学教授、月井雄二・法政大学教授、国吉久人・広島大学准教授、構成＝武居克明）

Q02 女性は、なぜ男性よりも長生きできるの？

北海道・山口結衣さんからの質問

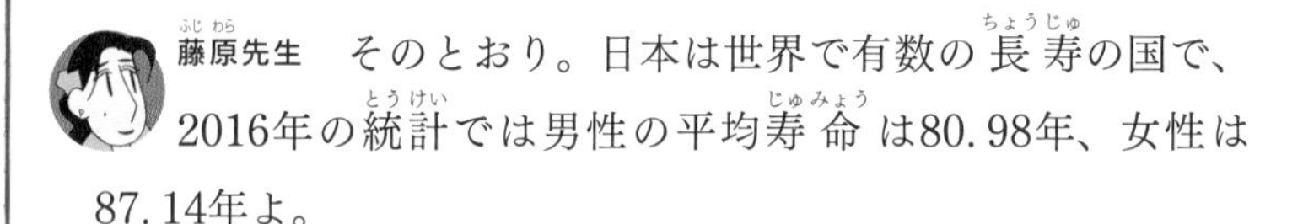

A ホルモンの影響が大きいみたい

ののちゃん　日本人は長生きだって聞いたよ。

藤原先生　そのとおり。日本は世界で有数の長寿の国で、2016年の統計では男性の平均寿命は80.98年、女性は87.14年よ。

女性は長生きなんだね。

外国でも同じ傾向だし、昔から大きくは変わっていないのよ。

なぜ女性は長生きなの？

いろいろな理由があるらしいけれど、ホルモンの影響が大きいと考えられているよ。

ホルモンって何？

からだのはたらきを調節する化学物質のことよ。その仲間に、女性に多い女性ホルモンというものがあり、女性が丸みを帯びたからだつきになったりするのに役立っているのよ。

へぇ、そうなの。

じつはこのホルモンには脳や骨、血管などを守るはたらきもあるの。だけど、女性が50歳ぐらいになると急に少なくなる。そうすると男性が30〜40代からかかる病気に女性もかかりやすくなるのね。

つまり、男性に10〜20年遅れて病気になりやすくなり、それが寿命の差にもつながっているらしいの。

また、男性は、人を攻撃的にする傾向がある男性ホルモンの影響で、けんかなどで命を落とすことも多いそうよ。

でも、そもそもからだはどうしてそんなしくみになっているの？

子育てが関係しているみたい。哺乳類の多くは、メスだけが子育てをする。子どもが生まれたあと、オスは死んでも影響は少ないけれど、メスは生き延びて子どもの世話をしないといけない。それで長生きに設計されているみたい。

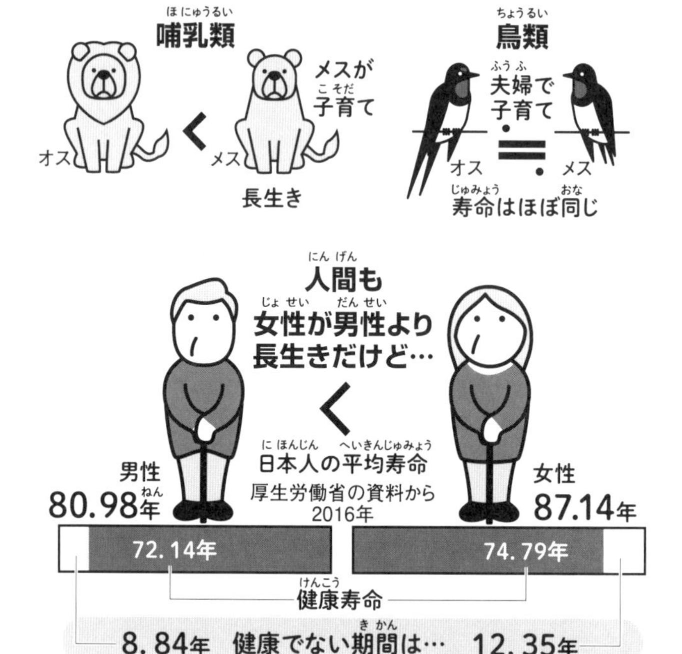

オスが卵を守ったり子育てに関わったりすることが多い鳥類や、哺乳類でもオスが子育てに加わるネズミの一部では、オスとメスの寿命の差はあまりないの。人間の男性も、も

っと子育てに関わってくれるとよいのだけれど……。

　ところでののちゃん、健康寿命って知っている？

何それ？

何歳まで病気にならず、ほかの人の世話にもならないで生活できるかという年数よ。

　健康寿命も女性のほうが長いけど、平均寿命から健康寿命を引き算すると「健康でない期間」が計算できて、男性は8.84年、女性は12.35年になるわ。

……ということは？

女性は長生きだけど、老後は病気になりやすいということね。骨がもろくなって骨折しやすくなる骨粗鬆症や認知症などは、直接は死に至ることは少なくても、生活に困ることが多い。

　これは大きな問題になっていて、特に人生後半の女性の病気を減らして社会全体を健康にすることが求められているのよ。

（取材協力＝長谷川眞理子・総合研究大学院大学学長、大内尉義・虎の門病院院長、構成＝勝田敏彦）

Q03 紫外線が心配！　日焼けを防ぐ方法ってあるの？

滋賀県・柴田夏生さんからの質問

A 日焼け止めのクリームを、きちんと塗ることよ

ののちゃん　海やプールに山登り、いっぱい遊んで日に焼けちゃった。日焼けってどうして起こるの？

藤原先生　日焼けは太陽の光に含まれる紫外線のうち、地上に届くA波とB波を浴びることで起こるのよ。

A波とB波？

A波は皮膚の奥まで届いて、肌の張りや弾力を保つコラーゲンやエラスチンという組織にダメージを与える。肌を黒くして、しわやたるみの原因になるのよ。

B波は皮膚の表面に炎症を起こすの。肌が赤くなってヒリヒリして、シミやしわの原因になるの。紫外線は浴びすぎると皮膚がんになる恐れもあるのよ。

へええ、こわいね。

紫外線は雲やガラスも通ってしまうから気をつけてね。曇りの日でも晴れた日の65％ほどの紫外線が地上に届くの。上からだけじゃなくて、コンクリートや水面、雪などからも反射してくるのよ。

夏が終われば大丈夫なの？

紫外線は春から夏にかけてピークを迎えるけれど、秋や冬でもゼロにはならないの。特にA波は一年を通して多く降り注ぐから、油断できない。

困ったね。どうやれば防げるのかな。

まずは、日焼け止めのクリームを塗ることね。紫外線を反射する成分や吸収して熱に変える成分などが含まれていて、肌を守るのよ。

そういえば、うちにある日焼け止めクリームに「PA＋」とか「SPF30」とかの文字が書かれてたけれど、何のこと？

「PA」はA波、「SPF」はB波を防ぐ効果を表しているの。

PAは「＋」の数が多いほうが効果が高いことを示していて「＋＋＋＋」が最大。SPFは数字が大きいほど効果が高

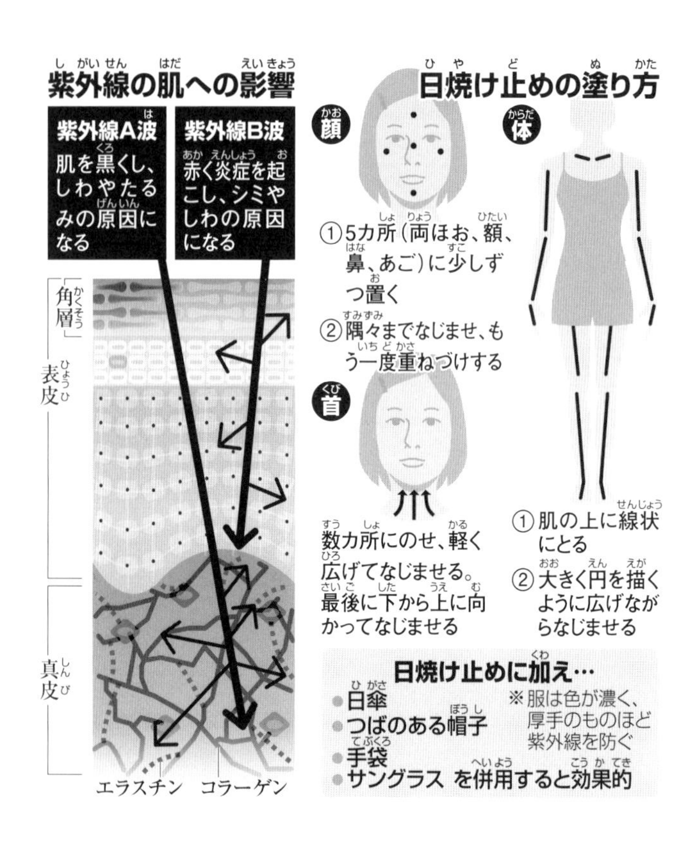

く、「50＋」が最大。海に行くとき、炎天下でスポーツをするときは効果の高いものを使ったほうがいいよ。ただ、きちんと塗らないと、効果が落ちてしまうのよ。

どんな塗り方がいいの？

クリームを肌の上に線状に出して、広くなじませるとムラがなく塗れるわ。特に顔は、両ほおと額、鼻、あごの5ヵ所に適量をとって隅々までなじませて、もう一度、重ねづけするといいのよ。首の後ろや手足の甲なども忘れないでね。

塗ったら大丈夫？

汗や水で成分がとれてしまうことがあるから、2〜3時間おきに塗り直したほうがいいね。

ほかに対策はあるのかな？

日傘や手袋、つばの広い帽子、サングラスを併用すると、より効果的よ。服はできれば長袖で、黒など色が濃く、厚手のものほど紫外線を防いでくれるわ。もし日焼けをしてしまったら、水や氷で冷やして、ヒリヒリや火照りがおさまったら、化粧水や乳液をつけてケアしてね。

（取材協力＝大坪充恵・資生堂副主幹研究員、構成＝土肥修一）

Q04 血液型って、血液のどんなちがいなの？

千葉県・大谷千恵子さんほかからの質問

赤血球にある物質のちがいだよ

ののちゃん クラスの友だちに血液型を聞いたら、A型の人が一番多かったよ。

藤原先生 日本人はA型の人が4割、O型が3割、B型が2割、AB型が1割といわれているので、うちのクラスもそのくらいの割合なのかもしれないね。国によって割合がちがって、米国やブラジルなどではO型が一番多いよ。

なるほど。ところで、血液型って血液のどんなちがいなの？

血液は、水分やたんぱく質などからなる血漿と、全身に酸素を運ぶ重要な役割をしている赤血球などの成分からできているの。血液型とは、この中の赤血球の型のちがいのこと。

どうちがっているの？

正確に言うと、赤血球の表面には抗原と呼ばれる物質があり、血漿の中には抗原と結びつく抗体があるんだけれど、ＡＢＯ血液型もこの組み合わせで区別するの。

組み合わせ？

たとえば、Ａ型の赤血球にはＡ抗原という物質がある。そして、このＡ抗原に結びつく抗体を抗Ａ抗体というの。わかりやすく説明すると、カギと鍵穴の関係のように、Ａ抗原のカギは、抗Ａ抗体の鍵穴とぴったり一致するの。

でも、実際のＡ型の血液には抗Ａ抗体はなくて、その代わりにＢ抗原に結びつく抗Ｂ抗体があるのよ。

なんか、ややこしいね。

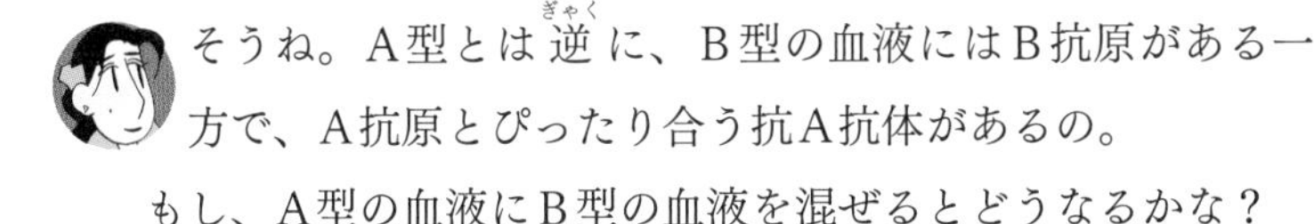
そうね。Ａ型とは逆に、Ｂ型の血液にはＢ抗原がある一方で、Ａ抗原とぴったり合う抗Ａ抗体があるの。

もし、Ａ型の血液にＢ型の血液を混ぜるとどうなるかな？

えーっと、Ａ抗原と抗Ａ抗体がぴったりだから、抗原と抗体がくっつく？

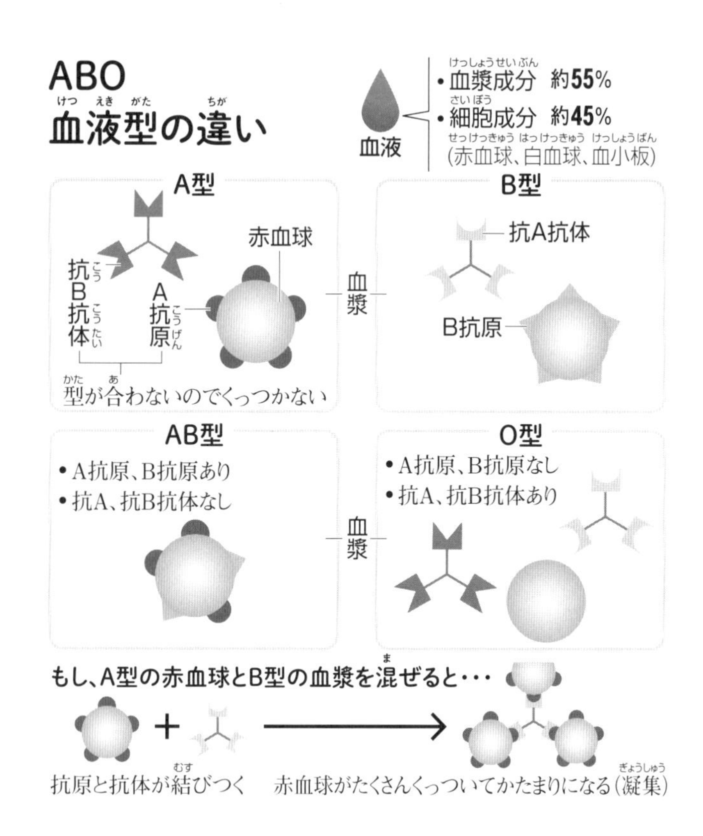

正解！　そうすると、赤血球同士がくっついてかたまりになる「凝集」が起こり、赤血球の膜が壊れる。これは「溶血」と呼ばれる状態で、最悪の場合は死んでしまうよ。

こわいな。だから、ちがう血液型で輸血をしてはいけないんだね。

O型の赤血球には、A抗原もB抗原もないので、以前はどの血液型の人にも輸血できるとされていたの。

ただ、O型の血液にも抗体は含まれているので、抗原と反応することによる危険を避けるため、現在では血液型を合わせて輸血することが基本になっているよ。

そういえば、血液型がRhマイナスっていう友だちがいたけれど、それは何？

Rhも血液型の一つで、赤血球にD抗原という物質がある場合をRh陽性（プラス）、ない場合をRh陰性（マイナス）と呼ぶの。日本人で陰性の人は0.5％なので、とても珍しい。赤血球の血液型はABOだけでなく、Rhも含めて30種類以上あるのよ。

（取材協力＝近江俊徳・日本獣医生命科学大学教授、構成＝佐藤建仁）

Q05 二重に見える！どうして、乱視になるの？

東京都・寺本るみ子さんからの質問

A 角膜がゆがんで像が結べなくなるの

ののちゃん　お母さんが目の検査で「乱視」っていわれたんだって。どういうこと？

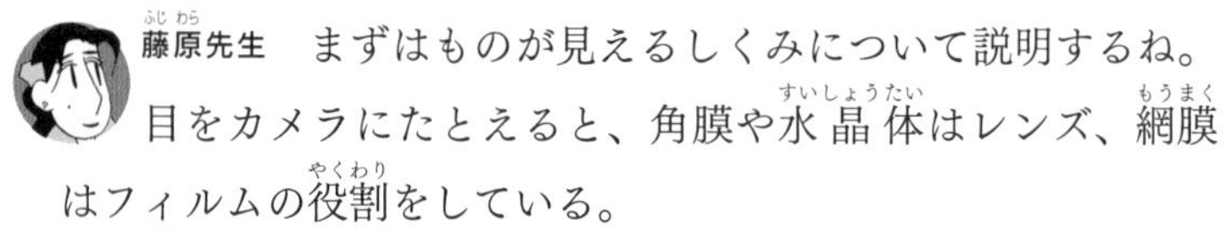

藤原先生　まずはものが見えるしくみについて説明するね。目をカメラにたとえると、角膜や水晶体はレンズ、網膜はフィルムの役割をしている。

目の中に入った光は角膜や水晶体を通るときに屈折し、網膜で像を結び、それが視神経を通じて脳に伝わるのよ。

正常な目（正視）は、網膜上に焦点が合って、ものがはっきりと見えるの。いわゆる「視力がよい」という状態ね。

じゃあ乱視は？

通常は、縦方向の光と横方向の光が同じ場所で像を結ぶの。

たとえば、「近視」は網膜の手前で焦点が合うため、遠くのものがぼやけて見えるの。「遠視」はその逆で、網膜の後方で焦点が合うから、近くのものがぼやけて見えるの。

でも、乱視は縦方向の光と横方向の光が別々の場所で像を結ぶため、ものがぼやけたり二重に見えたりしてしまう。医学的には「正乱視」と呼ばれているの。縦方向の光か横方向の光のどちらが手前に焦点を結ぶかによって、さらに細かく分類されているのよ。縦方向の光が網膜の手前に焦点を結ぶ「直乱視」が多いよ。

どうして乱視になるの？

正常な目の角膜は、ほぼ球状だけれど、加齢とともにラグビーボールのような楕円形にゆがんだり、水晶体の厚みを調節する力が弱まったりすることで光の入り方が変わってしまうから。

一方、「不正乱視」というタイプもあって、これは病気やけがが原因で角膜がでこぼこになって、どの点にも像を結べなくなってしまうの。

乱視は治せるの？

乱視とは?

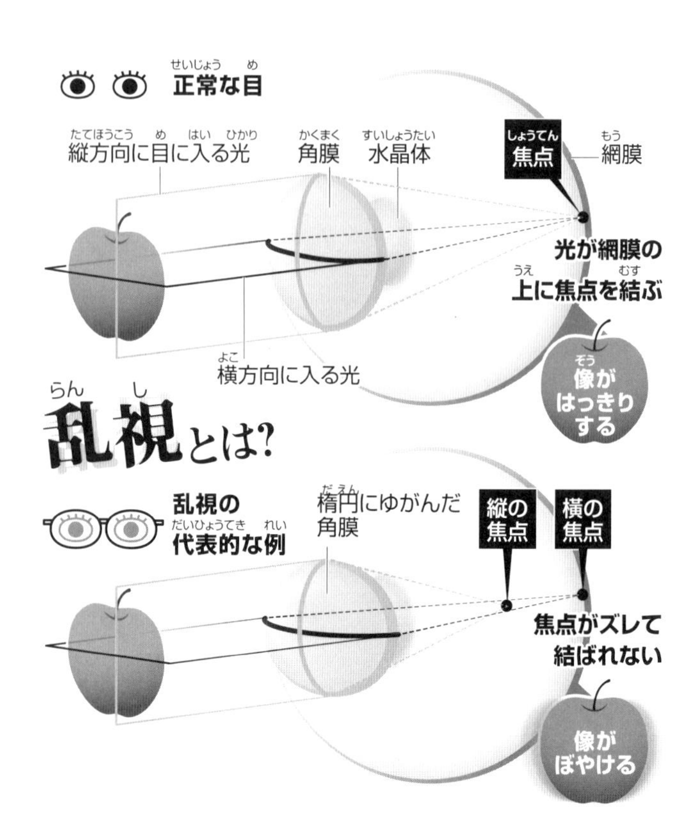
正常な目
縦方向に目に入る光
角膜
水晶体
焦点
網膜
光が網膜の上に焦点を結ぶ
横方向に入る光
像がはっきりする
乱視の代表的な例
楕円にゆがんだ角膜
縦の焦点
横の焦点
焦点がズレて結ばれない
像がぼやける

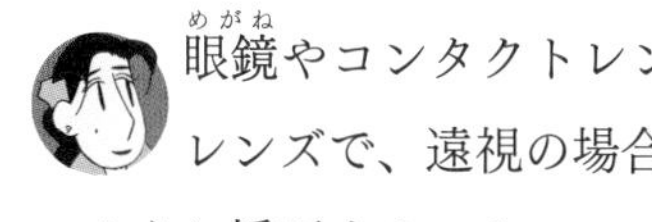

眼鏡やコンタクトレンズで矯正できる。近視の場合は凹レンズで、遠視の場合は凸レンズで、網膜上に焦点が合うように矯正するのよ。

これに対して、正乱視の場合は、角膜のゆがみを逆方向に補正するレンズを使うことで、1ヵ所で像を結べるようになるわ。

ちなみに老眼はどういう状態？

「老視」のことね。

たとえば近くのものを見るときは、水晶体を厚く調節して焦点を合わせるんだけれど、年をとると厚みを調節しづらくなって、近くや遠くに自由に焦点を合わせづらくなるの。老視は40代くらいから自覚するといわれているよ。

（取材協力＝舟木俊成・順天堂大学准教授、構成＝南宏美）

Q06 走るとおなかが痛くなるのは、どうして？

福岡県・布谷真巳さんからの質問

A 走ると、肝臓などの内臓がゆれるから

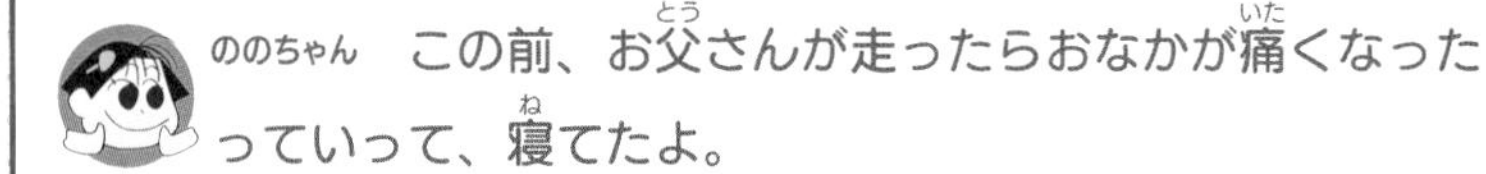

ののちゃん　この前、お父さんが走ったらおなかが痛くなったっていいって、寝てたよ。

藤原先生　ふだん運動していない人が急に走ると、よくあるのよ。

どうして痛くなるの？

理由はいろいろあるよ。

おなかの中には、肝臓や膵臓、腎臓など、たくさんの内臓がつまっている。走るとこの内臓がゆれて、上がったり下がったりするの。内臓は血管などでおなかの膜とつながっているから、引っぱられて痛みを感じるの。

右の脇腹にある肝臓は特に大きいから、ゆれると痛くなりやすい。

胸とおなかの境の、まん中あたりが痛くなるのは？

みぞおちというところね。おなかと胸の間に横隔膜という膜があるんだけれど、その中心を食道という食べものの通り道があるの。肝臓などがゆれると、そのあたりが引っぱられるのよ。

それから、走ると血のめぐりがよくなるでしょう。そうすると、血液を壊したり貯めたりする役割のある脾臓が、目が赤くなるみたいに充血してしまうの。

ほかにも理由はあるの？

走る前に食べものを食べていると痛くなることがある。胃や腸が食べものを運んだり処理したりするためには、酸素がほしい。その酸素を運んでいるのが血液。

でも、激しい運動をするときには筋肉が酸素をたくさん使うから、走ると血液が全身の筋肉に流れていってしまう。それで胃や腸に行く血液が減って、消化がじゃまされるからおとなしくしなさいというサインが出るの。

あとは、腸の中にたまっているガスのせいだという説もあるわ。

どうしたら痛くならないのかな。

走ると腹が痛くなる理由と対策

1

理由 肝臓などの内臓が上下して、腹とくっついているところがひっぱられる

対策 腹をへこませ、背筋を伸ばして走る

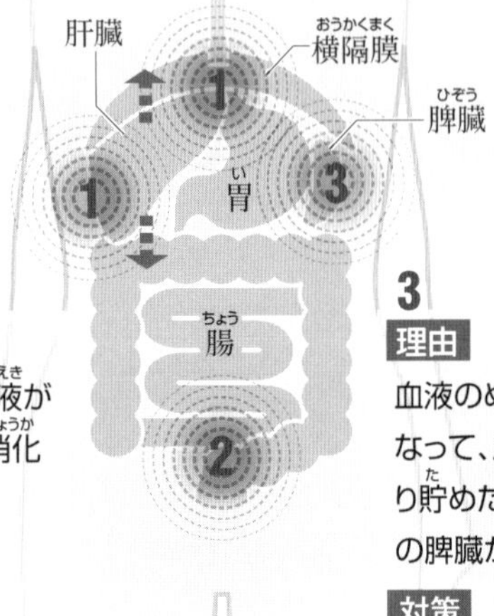

2

理由
胃や腸に行く血液が減り、食べ物の消化が邪魔される

対策
走る3時間前からものを食べない

3

理由
血液のめぐりがよくなって、血液を壊したり貯めたりする役割の脾臓が充血する

対策
なれが必要

まず、内臓が揺れるのを防ぐのは意外に簡単よ。おなかをへこませ、背筋を伸ばして走るの。おなかをへこませると、おなかの中の圧力が高くなって、内臓が動きにくくなるからね。脾臓の充血は、走るのになれてくるとだんだん痛くならなくなる。

むかし、スポーツをやっていたから大丈夫と思っても、長いことサボっているとからだがなまっているから、急に激しい運動をしようとしてもからだがついていけない。

それと、走る前はものを食べないことね。マラソンとかを走るときは、その3時間前ぐらいから食べちゃダメ。

ええっ、そんなにがまんできないよ。

スポーツ選手などがどうしてもエネルギーになるものが必要なときは、胃腸に負担をかけないゼリー状のものやジュースのようなもので栄養をとる工夫をしているわ。

でも、いつものののちゃんみたいにがつがつ食べるのは禁止よ。

（取材協力＝宮川俊平・筑波大学教授、構成＝鍛冶信太郎）

Q07 右利きと左利きは、どのように決まるの？

神奈川県・牧田彩花さん、兵庫県・二見啓太さんからの質問

A 生まれと育ち方の両方で決まるらしい

ののちゃん 右手をけがしちゃった。左手はおはしがもちにくいな。

藤原先生 ののちゃんは右利き？

おはしや鉛筆は右手でもつよ。ところで「利き」って何？

右手や左手のように両側あるけれど、使う頻度や、機能に左右で差があることだよ。利き側のほうがよく使うし、速さや強さ、正確さなどが優れている。利き手を調べる簡単なテストもあるよ。

左利きの人って多いの？

ヒトはおよそ9割が右利き、1割が左利きだよ。国や地域で少しちがいがあって、日本では左利きの割合がもっと少

ないんだよ。

なんでかな？

右手を重んじる文化が影響しているのかもしれない。でも、おおむかしからヒトはだいたい1割が左利きなんだって。5000年以上前からいままでの壁画や美術品などに描かれた人の利き手を調べた研究があるのよ。

なんで1割なんだろう。

ヒトは左側の脳に言語をつかさどる場所があるから、左脳が制御する右手をよく使うようになったという考え方もあるけれど、よくわかっていないの。

そもそも左利きとか右利きって、どうやって決まるのかな？

それもわかっていないの。

　親が左利きだと左利きの子どもが生まれやすい。でも、同じ遺伝情報をもっているはずの一卵性の双子でも、利き手が別々のこともある。

　遺伝が関係しているけれどそれだけじゃなくて、生まれもった性質と、生まれてからの環境の両方が影響して決まると考

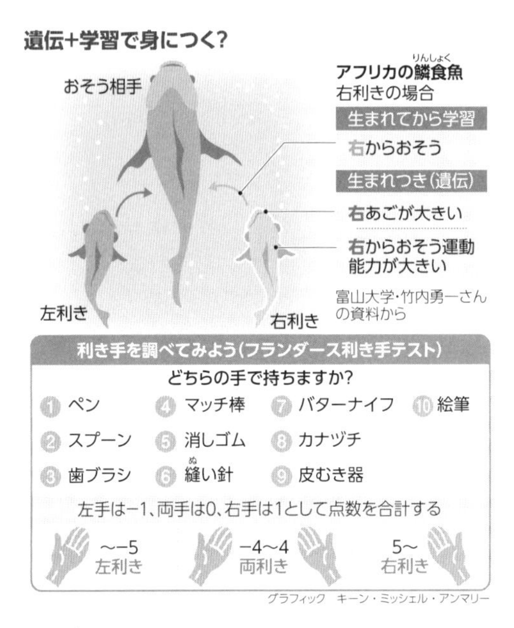

グラフィック　キーン・ミッシェル・アンマリー

えられているよ。

「利き」がどのように身につくか、魚で調べた研究があるんだ。

魚にも「利き」があるの？

アフリカに、ほかの魚のウロコを食べる「鱗食魚（りんしょくぎょ）」という魚がいるんだ。相手を右側からおそう「右利き」と、左側からおそう「左利き」がいて、生まれつきあごの形に差があるの。

この魚の狩（か）りの方法を調べたところ、最初はみんな、自分の

「利き」がわからず両方向から獲物を狙っていた。でも繰り返すうちに、あごの形に合わせて成功しやすい方向から相手を狙うようになったんだ。

生まれもったあごの形と学習で利きが決まるってことか。

そうね。しかも、学習ができるのは幼いころだけだったの。ヒトも魚と同じ脊椎動物で、脳の基本的な構造は似ているから、人間の研究にもつながるかもね。

ところでさ、左利きだと文字が書きづらいし、道具も使いづらくて、大変って聞いたことがある。

左利きの人は右利きに直したほうがいいのかな？

そうともいえないよ。魚の研究では、相手をおそうときの運動能力はあごの形に対応した利き側が生まれつき強かったんだ。

生まれつき「利き」に対応する構造があるのに、そっちを使わず無理に反対を使うのはストレスになるよね。

そうか。じゃあ、本来の「利き」を磨くほうがよさそうだね。

（取材協力＝竹内勇一・富山大学助教、構成＝鈴木彩子）

Q08 腸内細菌は、どこから腸に入ってきたの？

三重県・西崎正行さんからの質問

A 母体やまわりのものから入ってくる。なんでもバランスが大事

ののちゃん　このあいだ、ヨーグルトには善玉菌がいるって聞いたよ。善玉菌って何だろう？

藤原先生　小腸や大腸の中にすむ細菌のことで、腸内細菌というの。

中でも、人間のからだによい作用を及ぼすものは善玉菌と呼ぶことがあって、ヨーグルトに含まれることで知られるビフィズス菌や、みそやチーズなどの発酵食品に含まれる乳酸菌があるよ。

食べものの宣伝でよく聞く名前だね。

じつは、何が善玉菌で悪玉菌なのか、科学的な分け方があるわけではないの。人の腸内細菌は約1000種類あって、絶妙なバランスでお互いを生かしているから、どれか一つが多ければよいわけではないのね。

そうなんだ。でもそんなにたくさんの腸内細菌、どこからからだに入ってくるの？

お母さんのおなかにいる赤ちゃんの腸には、細菌はいない。

生まれてくるときに初めて、お母さんの産道や肛門周辺にいる細菌が体内に入るの。その中には、母乳を消化するのに必要なビフィズス菌もあれば、病気の原因になるものもある大腸菌なんかも含まれる。

ほかにも、人は小さいころに動物に触れたり、土あそびをしたり、ものをなめたりすることで、いろんな細菌をとりこんでいると考えられているよ。

じゃあ、もとはお母さんからもらったものなんだね。

ご飯を食べるようになってからは、食べものを消化するのに必要な細菌が増えるようになっているの。

たとえば、日本人の腸には、ノリを消化できる物質を出す細菌がいるけれど、海外の人にはない場合が多い。

動物の中には、母親のふんを食べて腸内細菌を受け継ぎ、エサを消化できるようになる種類もいるよ。

体調と関係あるのかな？

腸内細菌はどこから入ってくる?

腸内細菌の例

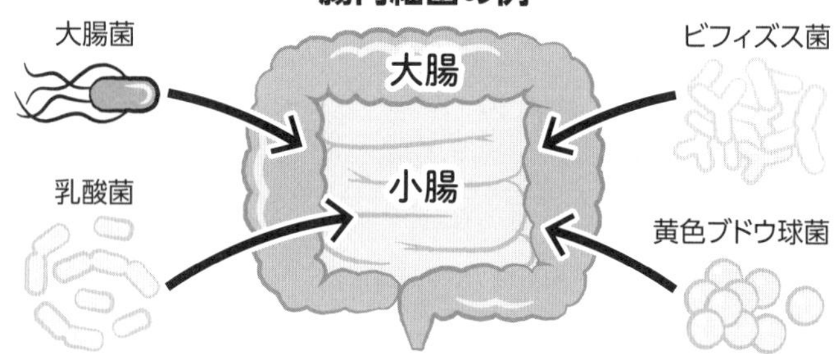

細菌の種類のバランスが悪いと…

- アレルギーにも影響
- 免疫力が下がる可能性

最近の研究では、腸内細菌のバランスが悪いと、免疫力が落ちたり、アレルギーを発症しやすくなったりすることがわかっているの。

特に、抗菌薬(抗生物質)をむやみに使うと、健康に必要な腸内細菌まで殺してしまうから、かえってからだによくないそうよ。

じゃあ体調をよくするためには、たくさんヨーグルトを食べないといけないのかな。

一時的な食事でとった細菌は、腸内に定着せずにすぐにからだから出てしまうの。

だから、ヨーグルトをたくさん食べたからといって、腸内細菌の量が大きく変わるわけではないよ。

それよりも、いろんな種類の食べものを食べ続けることで、腸内細菌の種類の豊富（ほうふ）さを保（たも）つこと。あと、ストレスや睡眠（すいみん）不足も腸内細菌と関係があるそうだから、規則（きそく）正しい生活を心がけることも大切ね。

なんでもバランスが大事なんだね。

（取材協力＝石川大・順天堂大学医学部消化器内科学講座准教授、構成＝吉備彩日）

Q09 運動をしないと筋肉が落ちるのは、なぜ？

神奈川県・佐沢由佳さんからの質問

A 筋肉の「繊維」が細くなるから

ののちゃん　この前、友だちのお父さんが「最近すっかり筋肉が落ちてしまった」と嘆いていたよ。昔は重量挙げをやっていたらしいけれど。筋肉って減るものなの？

藤原先生　筋肉は「筋繊維」と呼ばれる繊維が束になってできているのよ。運動やトレーニングをすると、1本1本の筋繊維が太くなって筋肉の量が増える。運動によって筋繊維をつくる機能がアップするので、もともとの筋肉より強くなるの。

逆にいうと、運動しないと筋繊維が細くなってしまうのよ。だから「筋肉が落ちた」と思うのね。

「筋肉が脂肪に変わった」という人がいるけれど、本当なの？

筋肉が脂肪に置き換わるということはないそうよ。

運動量が減って筋肉が落ちる時期と、摂取したカロリーを消費しきれずに脂肪が蓄積される時期が近いと、そう感じるのかもしれない。

お年寄りは、筋肉が落ちて困っている人が多いと聞くけれど？

年齢を重ねると、筋繊維の数が減ってしまうの。

さらに、腰痛などで外出がおっくうになると、自宅に閉じこもりがちになって運動量が減る、食事の量が減って筋肉をつくるのに必要な栄養素が足りなくなる、といった悪循環で筋肉が落ちてしまう場合があるわね。

筋肉の「質」も問題だと聞いたよ。

研究者が運動不足のお年寄りの筋肉を調べたところ、筋肉の中に脂肪が入り込んで「霜降り肉」のようになっていたんだって。

霜降り状態の筋肉は、そうでない筋肉とくらべて、筋肉の量が同じでも力を発揮しづらいんだって。これは、高齢者以外でも同じなんだ。

筋肉を保つには

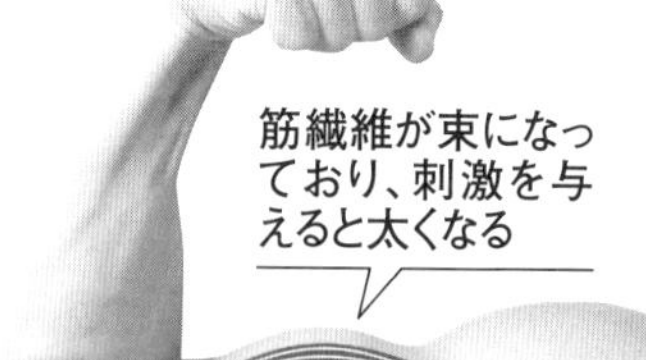

活動的な日常生活

- 歩いて買い物に行く
- 階段を使う

バランスのとれた食事

- たんぱく質をしっかりとる（魚、肉、大豆、卵など）

適度なトレーニング

- 自分の体重を使ったスクワットや腕立て伏せ
- ダンベルを使った筋トレ

グラフィック・甲斐 規裕

筋肉の量を増やしながら、質も高めるにはどうしたらいいの？

研究では、ウォーキングや家でできるトレーニングを2ヵ月半ほど続けたら太ももの筋肉の中の脂肪が減って、筋肉の量も増えた。いすからの立ち上がりが素早くなり、速く歩けるようになったそうよ。

ほかにどんなことをすればいいの？

日ごろ、あまりからだを動かしていない人は、日常の活動レベルを上げることからはじめるといいそうよ。

たとえば、歩いて買い物に行ったり、階段を使ったり。

もっと強度を上げるなら、ムリのない範囲で簡単な筋トレをするのがいいかもね。胸や腕の筋肉を鍛える腕立て伏せや、足腰を曲げ伸ばしするスクワットとか。特に下半身の筋肉は、歩くときに使うから重点的に鍛えるといいね。

ダンベル運動をするなら、自分に合った重さのダンベルを選ぶことが大事だそうよ。

食事はどんなことに気をつければいいの？

バランスのよい食生活を心がけつつ、筋肉をつくる「たんぱく質」をしっかりとること。

たんぱく質は、魚や肉、豆腐などの大豆でできた食品、卵や乳製品にも含まれているよ。好き嫌いなく、たくさん食べてね。

はーい。

（取材協力＝吉子彰人・中京大学講師、構成＝山野拓郎）

子どもの歯は、なぜ生え替わるの？

兵庫県・中村 凛さんからの質問

あごの成長に合わせて、歯が20本から32本になるから

ののちゃん 最近、歯がぐらぐらしていて、気持ち悪いんだ。

藤原先生 子どもの歯の乳歯が抜けて、大人の歯の永久歯に生え替わろうとしているのね。

永久歯って何？

一度生えたら、ずっと生えたままの歯のことよ。

じゃあ、虫歯になったら大変だ。

そうね。じつは、お母さんのおなかの中にいるときに、すでに乳歯や永久歯のもととなる芽のようなものができているのよ。

もとのようなものは「歯胚」と呼ばれている。

生まれる前からできているんだね。

乳歯のもとは、お母さんのおなかの中にいるころ、結構早い段階でできはじめるそうよ。しばらくすると、永久歯のもとも、乳歯のもとのそばからできはじめる。

生まれてから6〜8ヵ月くらいで、乳歯が前歯から生えてくるの。

へえ、そうだったんだ。

歯が生えそろっていくと、それまでよりもかたい食べものをかめるようになるね。その後、6歳ぐらいになると、歯ぐきの奥で待っていた前歯の永久歯が成長して生えてくる。

そのとき、乳歯の根っこがなくなって、ぐらぐらして最終的に抜けてしまうの。こうして、乳歯が永久歯と入れ替わるってわけ。

初めて歯が抜けたときは、びっくりしたよ。

前歯が抜け始めるのと同じころに、乳歯の奥歯の後ろにある、歯がまだ生えていない歯ぐきから、大きな奥歯の永久歯が新しく生えてくるよ。そして10歳くらいには、乳歯の奥歯が抜け始めるの。

16歳ぐらいでいったん生えそろい、20歳ぐらいで、上下左

歯が生え替わるまで

お母さんのおなかにいる赤ちゃん

7〜10週

歯ぐき

乳歯の歯胚（しはい）
つぼみの形に似た歯のもと（歯胚）が、歯ぐきの中にできはじめる

4〜9カ月ごろ

石灰化
乳歯が硬くなって、しっかりした形ができはじめる

永久歯のもと
乳歯の歯胚のそばに、遅れて永久歯の歯胚もできはじめる

生まれてから

7カ月〜2年半

乳歯が生える

歯根（しこん）

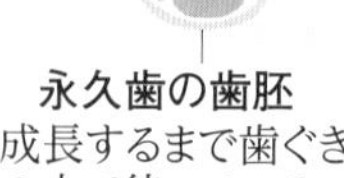

永久歯の歯胚
成長するまで歯ぐきの中で待っている

6〜12歳ごろ

乳歯がぐらついて、抜けていく

乳歯

永久歯が上がってくるにつれて、歯根がとけてなくなっていく

〜16歳

永久歯
生えそろう
（親知らずを除く）

右の一番奥に計4本の歯が生えてくる。これは、「親知らず」と呼ばれる歯ね。

じゃあ永久歯は、乳歯よりも歯の数が多いの？

乳歯は20本、永久歯は親知らずも含（ふく）めると32本生えてくるそうよ。

永久歯は、乳歯よりも数が多いだけでなくて、サイズも大きいのよ。

小学生になるとあごが成長しはじめて、大きくなる。その分、生える場所も広くなっているのね。子どもの小さいあごでは、最初から大人用の歯が入りきらないってこと。

イヌやネコも、人間と同じように歯が生え替わるよ。

へえ。じゃあ、永久歯が生えたあとは、もう生え替わらないの？

サメのように、何度も新しい歯に生え替わる生きものもいるけれど、人間を含めた哺乳類では、生え替わるのは1回だけの場合が多いそうよ。なぜ1回だけなのかは、はっきりわかっていないけれどね。

謎のままなんだね。

生まれつき永久歯が少ない人もいるわ。その場合、乳歯を一生使わないといけないこともあるそうよ。

だから、乳歯でも永久歯でも、虫歯にならないように気をつけないといけないね。歯磨きをきちんとして、大切にしてね。

（取材協力＝井関祥子・東京医科歯科大学教授、太田正人・日本女子大学教授、構成＝吉備彩日）

Q11 遺伝子って、どのようなしくみなの？

群馬県・高橋 浄さんからの質問

A 4種類の「文字」による、からだの設計図だよ

ののちゃん　この前ね、お母さんのお友だちが家に来たの。私を見て「あら、お母さんの子どものころにそっくりね」だって。

藤原先生　お母さんのＤＮＡを受け継いでいるからね。

何それ？

遺伝子といったほうが、わかりやすいかな。顔立ちとか体つきとか、お母さんとお父さんから受け継いだ体の特徴は、みんな遺伝子に書かれている。私たちのからだの設計図といっていいかな。

へええ。でも、その設計図って、いったいどこにあるの？

一つひとつの細胞の核の中にある染色体に書かれているの。DNAという名前の物質でできていて、染色体をほどいていくと、ひねった縄ばしごのように2本の鎖が連なった形をしている。

じつは、このDNAの構造が設計図の情報をたくわえて、子孫に伝えるのに適したものなの。

どういうこと？

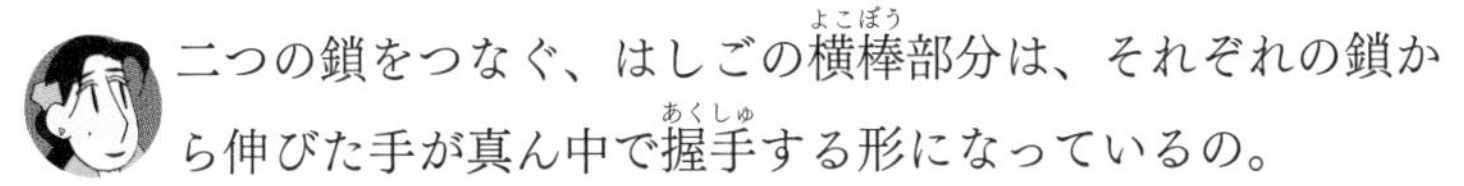

二つの鎖をつなぐ、はしごの横棒部分は、それぞれの鎖から伸びた手が真ん中で握手する形になっているの。

「アデニン（A）」「チミン（T）」「グアニン（G）」「シトシン（C）」という4種類の手で、しかもAはTと、CはGとしか握手できないわけ。

ほおーっ。

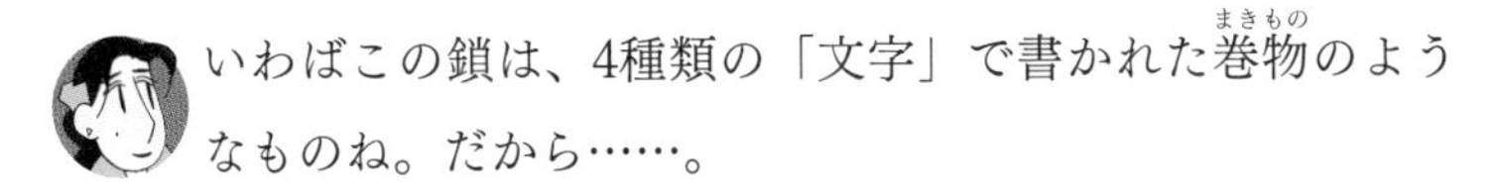

いわばこの鎖は、4種類の「文字」で書かれた巻物のようなものね。だから……。

わかった、文字と同じように情報を保存できるんだ。

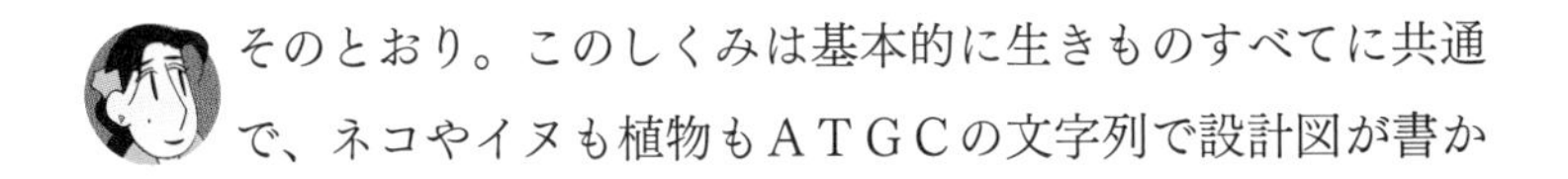

そのとおり。このしくみは基本的に生きものすべてに共通で、ネコやイヌも植物もATGCの文字列で設計図が書か

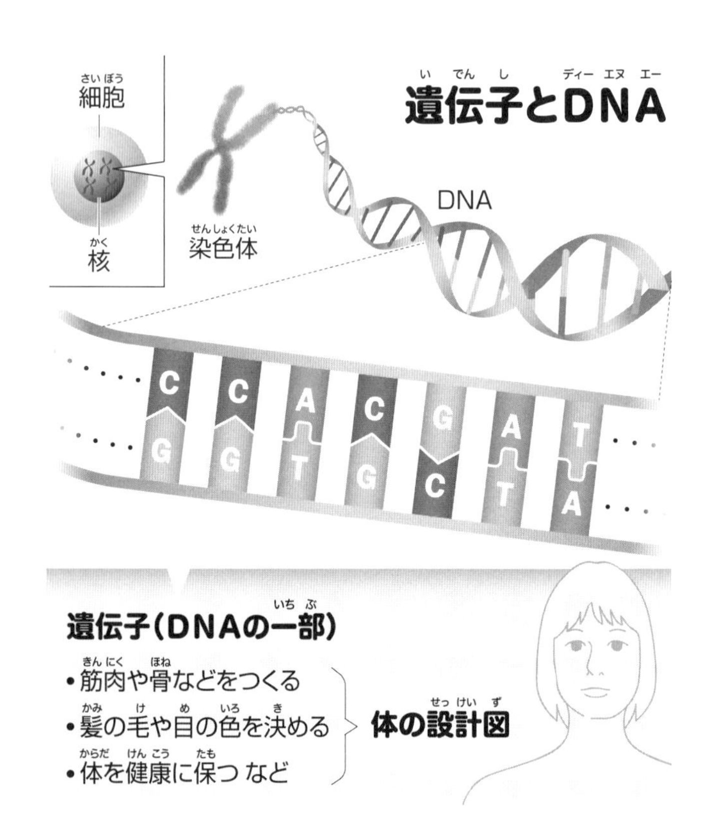

れているの。

ヒトの場合、文字が全部でおよそ32億個もつながっていて、その中に2万以上の遺伝子の情報が入っているそうよ。

わあ、気が遠くなりそう。読み通すのがすごく大変そう。

必要な情報はからだの場所などでちがうから、それぞれの細胞はほしい部分の情報だけを取りだして使っているの。

握手をいったんほどいて、効率よく情報をコピーすることもできるのよ。

よくできたしくみだね。そういえば、「遺伝子で病気を治す」というニュースを聞いたよ。

髪の毛や目の色が関係する遺伝子の文字列のちがいで決まるように、その文字列のちがいが病気につながることもあるの。

どの遺伝子が何をしているか徐々にわかってきて、自分の遺伝子を調べれば将来なりやすい病気をあらかじめ知り、気をつけることもできるようになってきたの。

特定の文字列を変える技術の開発も進んでいて、そうすることで病気を予防したり治療したりする試みがはじまっているのよ。

（取材協力＝山本卓・広島大学教授ほか、構成＝田中郁也）

ののちゃんと藤原先生①

朝日新聞 1997年05月12日(月)

第2章

生きものの

Q12 肉食恐竜の前脚は、なぜ短いの？

大阪府・相本 努さんからの質問

A 二足歩行で後ろ脚が発達したの

ののちゃん　この間、博物館で恐竜を見たよ。肉食恐竜は迫力があってこわかった。

藤原先生　どの恐竜が一番すごかったかな。

ティラノサウルスが一番好き。頭もからだもすごい大きいの。だけど、前脚がすごく短かったよ。

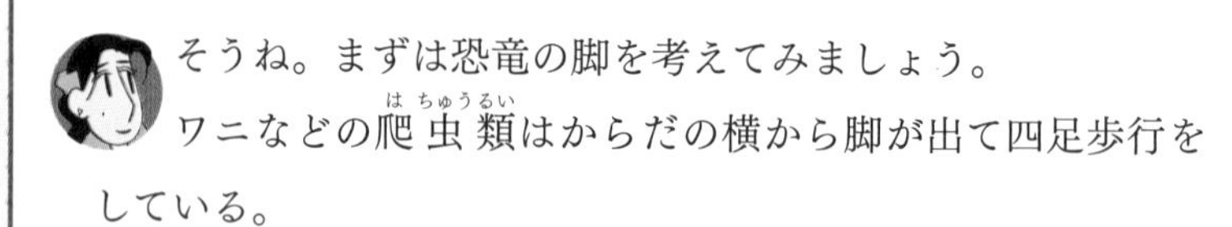

そうね。まずは恐竜の脚を考えてみましょう。
ワニなどの爬虫類はからだの横から脚が出て四足歩行をしている。

そこから進化して登場した恐竜は、後ろ脚がからだの真下から出て二足歩行になったの。前脚より後ろ脚が発達したのよ。目線を高くして獲物を探しやすくしたのかもしれない。

もともと、前脚のほうが短かったんだね。

そうよ。最初の恐竜は肉食だったようね。その後に登場した植物食恐竜は、植物のかたい繊維を分解するために腸が長くなり、胴体が大きくなって、四足歩行に戻ったと考えられている。

一方、肉食恐竜は二足歩行のまま。なかでもティラノサウルスの前脚は極端に短いの。全長13メートル、重さが6トンほどと大型バスぐらいあるのに、前脚は人の腕ぐらいの長さなの。

なんだかバランスが悪いね。

逆につり合うために前脚が短くなったようなの。ティラノサウルスは頭を大きくして獲物を強くかむ力をつけたの。

ただ、頭が大きくなれば前のめりになるから、前脚が小さく、しっぽが大きくなったらしいの。やじろべえのようにバランスをとった、といわれているわ。

前脚をどう使ったの？

短すぎて食べものを口に運ぶことはできないわね。前脚をどう使っていたかはいろいろな説があるの。

獲物を押さえつけるためなどの説もあるけれど、立ち上がるために必要だったともされているわ。

恐竜の進化

国立科学博物館の真鍋真さんへの取材による

初期の恐竜

- 二足歩行
- 後ろ脚が発達

肉食恐竜

- 狩りに有利なため目線を高くする
- 二足歩行のまま

植物食恐竜

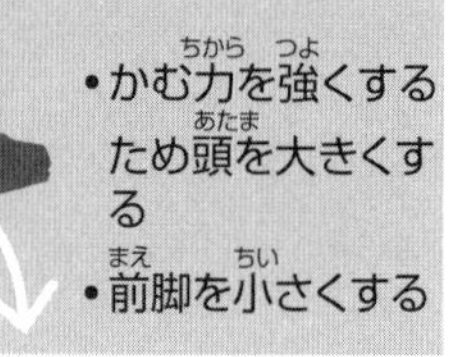

- 植物繊維を分解するため腸が長くなる
- 胴体が大きくなり四足歩行になる

ティラノサウルスの場合

やじろべえのようにバランスをとる

- しっぽを大きくする
- かむ力を強くするため頭を大きくする
- 前脚を小さくする

グラフィック・山本 美雪

へえ。

ティラノサウルスが座っている姿勢から立ち上がるまでをコンピューターでシミュレーションすると、一度、前にかがまないと立ち上がれない、という結果になったの。

9個の鎖骨をX線などで調べると、5個で疲労骨折を繰り返していたあとがあったの。立つときに前脚を腕立て伏せのように使ったから、自分のからだの重さで骨折を繰り返していたと考えられる。

あれっ、そういえば、肉食恐竜なのに前脚が大きいのもいたよ。

体が15メートルある肉食恐竜スピノサウルスのことね。

頭の骨などは肉食恐竜そのものだけど、後ろ脚よりも前脚のほうが長くて四足歩行だったの。さらに水中で生活していたから、「陸上で二足歩行」という肉食恐竜のイメージを覆す、不思議な恐竜なのよ。

（取材協力＝真鍋真・国立科学博物館、林昭次・大阪市立自然史博物館、構成＝後藤一也）

Q13 動物は、歯磨きなしでも虫歯にならないの？

岡山県・清水由美子さんからの質問

A 砂糖をあまりとらないから、虫歯なし

ののちゃん　お母さん、歯磨きしろってうるさいんだ。ホント、ポチがうらやましいなぁ。

藤原先生　ののちゃんちのイヌね。イヌやネコも、歯の手入れをしないと歯周病になっちゃうことがあるよ。歯ぐきが傷んで歯が抜けるの。

へー！

ポチ、獣医さんに歯の手入れしてもらったことはない？　あれは、歯と歯ぐきの間にたまる歯垢や歯石をとってもらうことで、歯ぐきが腫れる原因をなくし、歯周病を予防する目的なのよ。

歯垢？　歯石？

人間も同じだけど、歯や歯ぐきのすきまに食べもののかすがたまると、微生物が育ってネチョっとしたものになるわ。これが歯垢。

歯垢を放っておくとかたくなって、歯石になるの。歯垢にはいろんなばい菌がいるし歯石は歯ぐきを傷めるから、歯と歯ぐきの間にたまれば歯ぐきが腫れ、歯周病の原因になるの。人間だと虫歯菌も増えて、虫歯の原因になるね。

むむむ！　じゃあ、ペットのイヌやネコは獣医さんにかかるからいいとして、野生動物は大丈夫？

じつは、野生動物の歯にはほとんど歯垢がたまらないの。

人間みたいにやわらかいものをいっぱい食べる生活をしていないから、食べかすがあまりたまらないみたいね。

人間に飼われてやわらかいものを食べると歯周病になるケースが出てくるわ。

虫歯は？

飼われている動物でも、虫歯になるケースはほとんどないわ。

どうして？

グラフィック・永井 芳

虫歯菌の特徴は、砂糖を食べてネバネバの物質と酸をだすことなの。ネバネバで歯の表面にくっついて、くっついた場所に酸をかけ続けることで、歯を溶かすのが虫歯のメカニズムよ。

ただ、飼われている動物も、虫歯ができるほど多く砂糖をとるケースはないみたいね。肉食動物はそもそも、虫歯菌がいないわ。

うらやましい。

肉には砂糖が含まれないから、そもそも虫歯菌が育たないのね。果物を食べるコウモリ、雑食のクマやイノシシ、草食のゾウなど、植物も食べる動物は、口の中に虫歯菌をもっているわ。

面白いのは、それぞれの動物がもっているのは、それぞれ別々の種類の虫歯菌なのよ。

どういうこと？

虫歯菌の先祖は植物についていたという説があるわ。植物と一緒に食べられ、それぞれの動物の口の中で独自に虫歯菌に進化したので、動物ごとに種類がちがう、ってワケ。

ただ、動物の虫歯菌が歯を溶かす力は人間の菌とほぼ同じ。人間だけ虫歯になるのは、人が砂糖を多くとっている証拠ね。

だから、ののちゃんも、虫歯になりたくないなら、甘いものを控えるか、ちゃんと歯磨きしないとね。

（取材協力＝木場秀夫・日本大学松戸歯学部専任講師、平沢正知・日本大学名誉教授、構成＝長野剛）

Q14 動物も、花粉症になるの？

神奈川県・小沢みなつさんからの質問

A サルやイヌ、ネコもなるよ

ののちゃん　「ハックション」って、お母さんが大きなくしゃみをしていたの。「風邪ひいたの？」って聞いたら「花粉症よ」だって。

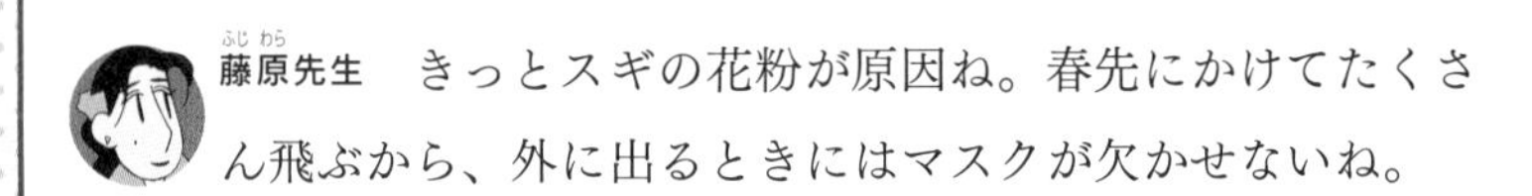

藤原先生　きっとスギの花粉が原因ね。春先にかけてたくさん飛ぶから、外に出るときにはマスクが欠かせないね。

外で生活している動物も、ヒトみたいに花粉症になるのかな？

ええ、花粉症のサルもいるのよ。広島県の宮島で、スギ花粉症を発症している野生のニホンザルが1986年に見つかったの。

その後、兵庫県の淡路島で野生のニホンザル272頭を詳しく調べたら、8%にあたる21頭が発症していたの。

へーっ。お母さんみたいにくしゃみをするのかな。

症状はヒトとそっくりで、鼻水やくしゃみ、目のかゆみなどに苦しんでいるの。動物園のサルにも似た症状が見つかっている。

かわいそうだね。どうしてサルも花粉症になるの？

私たちヒトが花粉症になるのと同じしくみよ。サルにもヒトにも、外からやってくる細菌やウイルスといった「敵」から自分のからだを守る免疫というしくみがあるの。その免疫が、はたらきすぎるのが原因よ。

どういうこと？

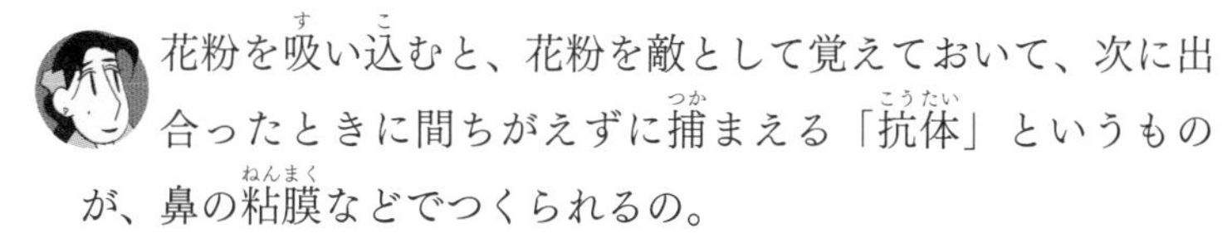
花粉を吸い込むと、花粉を敵として覚えておいて、次に出合ったときに間ちがえずに捕まえる「抗体」というものが、鼻の粘膜などでつくられるの。

この抗体は、粘膜にある「肥満細胞」という細胞とくっついて、次の戦いに備えるの。再びやってきた花粉を抗体がキャッチすると、その信号が肥満細胞に伝わり「炎症を起こす物質」の信号が出され、くしゃみなどになるの。

もとはからだを守るはたらきのはずなんだけれど、炎症物質が出すぎたりすると、鼻水やなみだが止まらなくなるのよ。

花粉症のしくみ

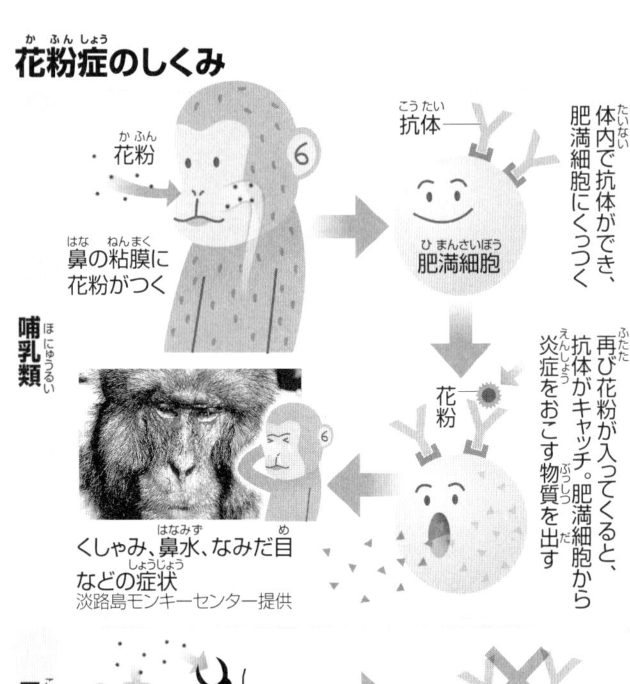

淡路島モンキーセンター提供

ほかの動物はどうなの？

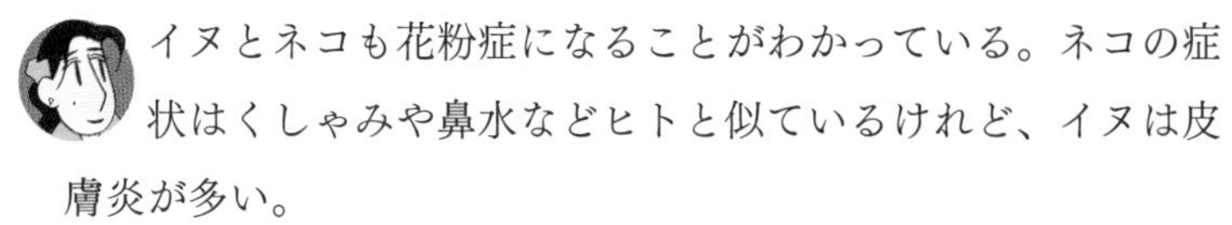

イヌとネコも花粉症になることがわかっている。ネコの症状はくしゃみや鼻水などヒトと似ているけれど、イヌは皮膚炎が多い。

アトピー性皮膚炎の症状があるイヌの血液を調べたら、2割が花粉を捕まえる抗体をもっていたんだって。

花粉症のイヌやネコって、むかしからいたのかな？

ヒトの花粉症は、戦後にスギをたくさん植えたせいで、増えたといわれているわ。動物はよくわからないけれど、しくみは同じだから、同じように増えているかも。

花粉を運ぶハチやチョウは花粉症にならないの？

哺乳類には抗体をつくり出すしくみがあるから、ヒトやサル、イヌ、ネコ以外でも花粉症になる可能性はあるね。

でも、昆虫は抗体をつくるしくみをもっていないので、花粉症にはならないはずよ。

（取材協力＝阪口雅弘・麻布大教授、構成＝佐藤建仁）

Q15 肉食獣(にくしょくじゅう)は、生肉を食べても食中毒(しょくちゅうどく)にならないの？

大阪府・桝谷健人さんからの質問(しつもん)

A 胃酸(いさん)と抵抗力(ていこうりょく)が強いので、大丈夫

ののちゃん　もうすぐ夏だね。食中毒が多い時期なんでしょ。

藤原(ふじわら)先生　そうよ。食中毒は一年中、発生しているけれど、特に細菌(さいきん)が増殖(ぞうしょく)しやすい暑い季節(きせつ)は注意が必要。

サルモネラ菌(きん)や、腸管出血性大腸菌(ちょうかんしゅっけつせいだいちょうきん)などの細菌が原因で起きる食中毒が増(ふ)えるよ。

気をつけなきゃ。

細菌は自然界にいる。だから、肉や魚介類(ぎょかいるい)にもついていると考えないといけないの。

気温が高いと増殖するから、冷蔵庫(れいぞうこ)にちゃんと入れないといけないし、食べるときにはしっかり加熱して細菌を死滅(しめつ)させることが重要よ。

そういえば、ライオンやトラは、生のお肉を食べるよね。

肉が主食の肉食獣ね。

夏でも生肉で大丈夫なの？

野生生物は、加熱して調理した肉を食べることはムリよね。

　だから、動物園にいる肉食獣も生肉を食べるよ。生肉に細菌がついていても、肉食獣の胃では基本的には細菌は生きられない。

どうして？

胃の酸が強いから細菌がすめないの。

　酸とアルカリの度合いを表すペーハー（pH）で、中性のpH7よりも数字が少ないと酸性なんだけど、肉食獣の胃酸はpH1～2の強酸性。それと、長い時間をかけて進化する中で細菌への抵抗力が強くなっていったと考えられるよ。

じゃ、**食中毒**にはならないんだね。

でも、獣医さんに聞くと、飼育されている肉食獣で食中毒の症状を診察したことがあるそうよ。

へー。

肉が主食の肉食獣

ペーハー1～2くらいの強酸性の胃酸で病原性の細菌はほとんど死ぬ

プラス

進化の過程で免疫をつけた

耐えられる以上の細菌に汚染され、胃で死なずに生き残った菌が腸へ

プラス

他の病気で免疫が低下

下痢、嘔吐

培養するとサルモネラ菌が検出することも

胃酸で殺菌できる以上の細菌が生肉についてしまうと、腸にまで細菌が届いてしまうようね。

下痢、嘔吐があって、「痛い」とはいわないけれど、おなかが痛そうだったらしい。下痢の糞を培養すると、食中毒の原因になるサルモネラ菌が検出されたこともあるんですって。

そうなんだ。ところで、おおむかしの人類って火を使わなかったんでしょう？　食中毒はどうだったんだろう。

おおむかしの人類がどのような病気になった可能性があるかは、骨と歯の化石で調べるの。

たとえば、結核のように数年間にわたって病気を患った場合は跡が残るけれど、食中毒のように短期間の病気はわからない。胃酸のpHもわからないけれど、じつはいまの人間の胃酸は空腹時にpH1.5程度の強酸性で、初期の人類も同様だったのではないかと考えられるわ。

進化の中で火を使うようになり、肉の細菌や寄生虫を取りのぞくことができるようにはなったけれど、抵抗力が低くなったと考えられるね。

(取材協力＝村田浩一・よこはま動物園ズーラシア園長／日本大学教授、藤田尚・新潟県立看護大学准教授、構成＝神田明美)

Q16 ネコは、なぜマタタビが好きなの？

茨城県・大関芳子さんからの質問

A においがフェロモンに似ているの

藤原先生　あ〜、飲みすぎた。今日も酔っぱらっちゃった〜。

ののちゃん　先生、大丈夫？　足元がふらふらして、ネコにマタタビをあげたときみたいだよ。

あら、マタタビをもらったネコは、よだれを流したり地面を転げ回ったりするけど、先生はそんなことしないわよ〜だ。

でも、どうしてネコはマタタビが好きなのかな？

マタタビに含まれている化学物質のにおいが、ネコをひきつける「フェロモン」というものに似ているらしいの。においと言っても、ふつうのとは少しちがうけどね。

フェロモンって？

子づくりの準備が整ったネコが、異性を誘惑するために出す物質よ。鼻の奥の、口との間にある鋤鼻器官という場所で感知するの。人間にはほとんどないといわれているわ。

ネコがここでマタタビをかぐと、メロメロになってしまうのよ。フェロモンそのものとはちがうから、酔っぱらうだけで、実際に子づくりをはじめたりはしないけどね。

大人のネコだけが、かぎとれるの？

1匹ごとにちがいはあるけど、マタタビが好きなネコは大人のネコに多くて、メスよりもオスのほうが激しく反応する、という調査結果もあるわね。メスが出すフェロモンのほうに近いのかもね。

ライオンとかトラも、ネコの仲間だよね。

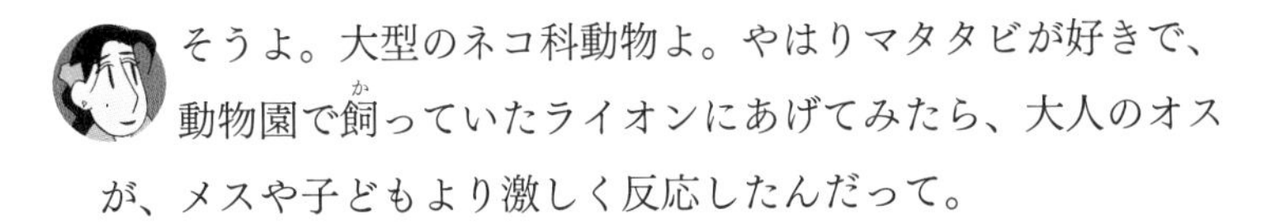

そうよ。大型のネコ科動物よ。やはりマタタビが好きで、動物園で飼っていたライオンにあげてみたら、大人のオスが、メスや子どもより激しく反応したんだって。

マタタビって、もともとどんなものなの？

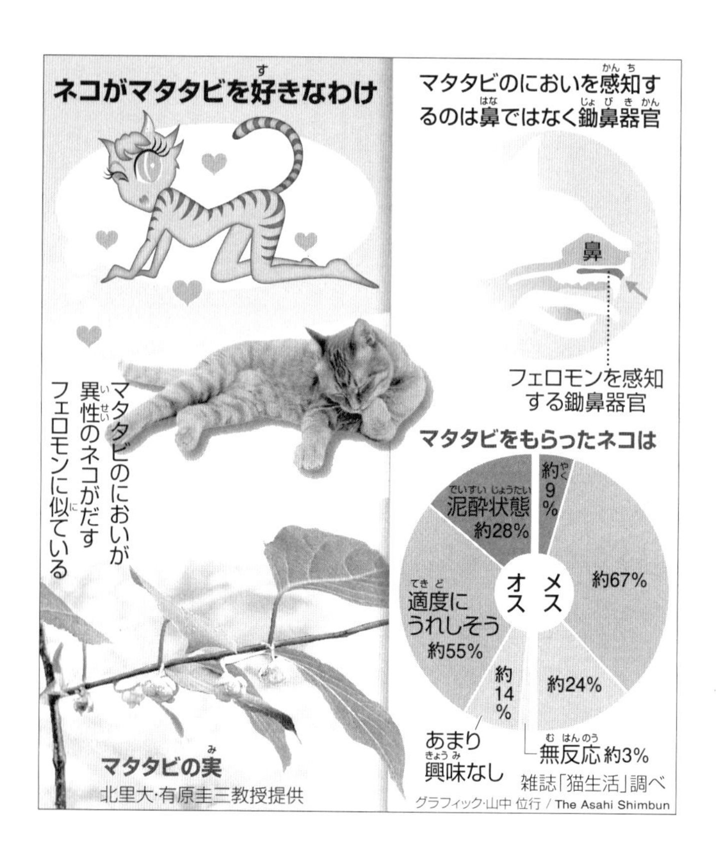
ネコがマタタビを好きなわけ
マタタビのにおいが
異性のネコがだす
フェロモンに似ている
マタタビの実
北里大·有原圭三教授提供
マタタビのにおいを感知するのは鼻ではなく鋤鼻器官
鼻
フェロモンを感知する鋤鼻器官
マタタビをもらったネコは
オス
泥酔状態 約28%
約9%
適度にうれしそう 約55%
約14%
あまり興味なし
メス
約67%
約24%
無反応 約3%
雑誌「猫生活」調べ
グラフィック·山中 位行 / The Asahi Shimbun

ほかの木に巻きついて伸びるツル植物で、日本を含めたアジアの広い地域に生えているわ。飼いネコにあげるおもちゃとして売られているのは、その実や枝を乾燥させたり粉にしたりしたものよ。

果物のキウイはマタタビに近くて、根や枝にはマタタビと同じような化学物質が含まれているそうよ。

マタタビは、何のためにそんな物質をつくっているの？

この成分は、寄生虫に卵を産みつけられて形がでこぼこになった「虫こぶの実」と呼ばれる部分に、たくさん含まれているの。

だから、本来は虫よけのためという説もあるの。それがたまたま、ネコのフェロモンと似ていたということね。

ネコを喜ばせるために出しているんじゃないんだね。

マタタビにとって、ネコはむしろ「天敵」かもね。小さい苗のときにほじくり返されてしまうから、ネコがいる場所では、マタタビはうまく育たないそうよ。

（取材協力＝有原圭三・北里大学教授、北構まゆ子・雑誌「猫生活」編集部、構成＝小宮山亮磨）

Q17 マグロは、なぜ泳ぎ続けているの？

千葉県・河口昴生さんからの質問

A 水流を口に入れて呼吸するため

ののちゃん　このあいだ、水族館に行ったら、でっかいマグロが泳いでいたよ。キンギョは水槽の底近くでじっとしていることもあるけど、マグロはずっと泳ぎ続けるんだって。それって、本当かな？

藤原先生　広い海で暮らす魚たちの中でも、マグロは特に、長い距離を泳ぐ生活をしている。

そのために、からだのしくみがずっと泳ぎ続けられるようになっているよ。泳ぐときに水の抵抗がとても少ない体形だけれど、それだけじゃない。

まわりの海水より体温を高く保てるから、冷たい海でも高い運動能力を発揮できる。

どうして泳ぎ続けないといけないの？

マグロが生活しているのは、海の中でも沖合の「外洋」と呼ばれる場所が中心なの。外洋の特徴は、岸近くの海にくらべて、エサにめぐりあうチャンスが少ないことよ。

だから、エサの魚やイカなどを求めて、たくさん泳ぎ回る必要があるの。

じゃあ、おなかいっぱいエサを食べたら、海の底でじっと休んでもいいよね。

ところが、そうはいかないの。呼吸を続けるためにも、泳ぎ続ける必要があるの。

どういうこと?

魚は水の中にとけた酸素をえらに集めて呼吸をしているの。

キンギョもそうだけど、ふつうの魚は、口をあけて酸素を含んだ水を取り込んだら、次はえらぶたをあけてその水を外へ出すの。この動きを交互に操り返すことで、まるでポンプのように水の出し入れを操り返しているのよ。

でも、マグロはキンギョみたいにえらぶたをパクパク動かすことができないの。だから、酸素を含んだ水を取り込むには、口を少し開いて泳ぎ続け、水が口に流れ込むようにしなければならないの。つまり、呼吸を続けるためにも、泳ぎ続けなけれ

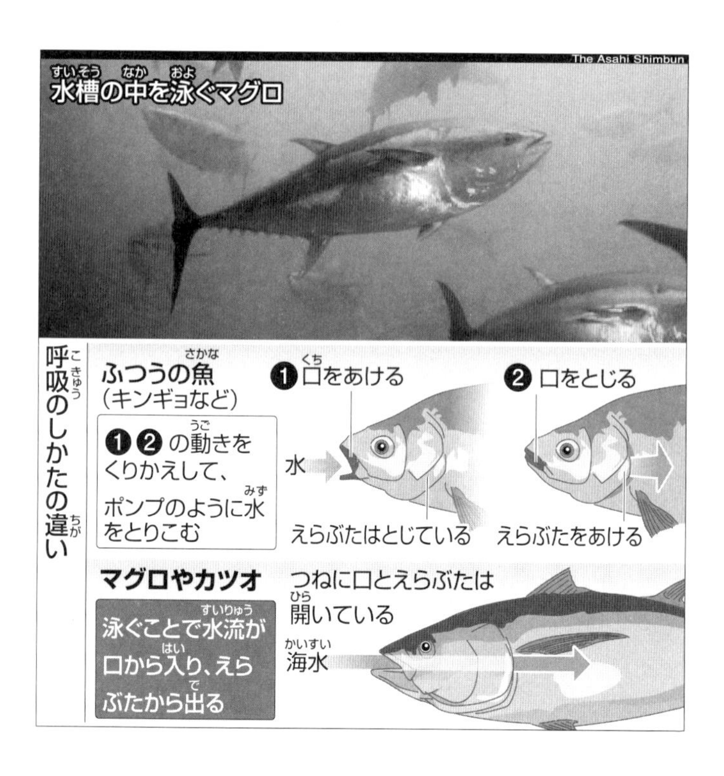
The Asahi Shimbun
水槽の中を泳ぐマグロ
呼吸のしかたの違い
ふつうの魚
(キンギョなど)
❶❷の動きをくりかえして、ポンプのように水をとりこむ
❶口をあける
水
えらぶたはとじている
❷口をとじる
えらぶたをあける
マグロやカツオ
泳ぐことで水流が口から入り、えらぶたから出る
つねに口とえらぶたは開いている
海水

ばならないわけ。

いつも全速力で泳いでいて、疲れないのかな。

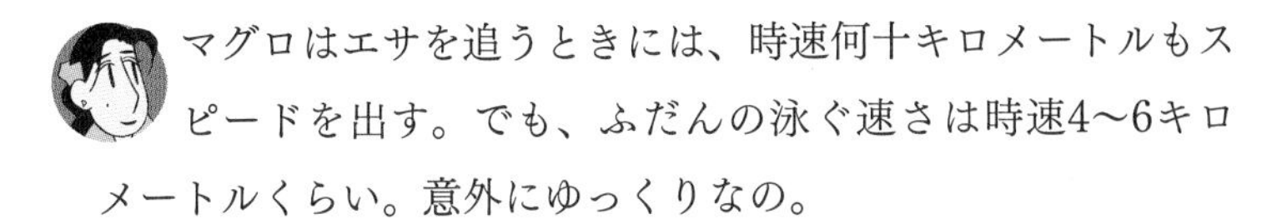

マグロはエサを追うときには、時速何十キロメートルもスピードを出す。でも、ふだんの泳ぐ速さは時速4～6キロメートルくらい。意外にゆっくりなの。

夜も寝ないで泳ぎ続けるの？

マグロの睡眠のとり方については、じつはよくわかっていないの。

ただ、夜になると体温が下がるなど、活動が鈍るのは確かよ。それでも、止まることなく泳ぎ続けていると考えられているわ。あと、カツオもマグロと同じように泳ぎ続けているそうよ。

マグロにカツオか……。なんだか、おすしが食べたくなっちゃった！

（取材協力＝松山俊樹・葛西臨海水族園教育普及係長、北川貴士助教、木村伸吾教授・東京大学大学院新領域創成科学研究科／海洋研究所、構成＝山本智之）

Q18 蚊に刺されても、痛くないのはなぜ？

栃木県・後藤颯太さんからの質問

A 針が細すぎて、「痛点」にあたらないから

ののちゃん　蚊に刺されてる！　なんで気づかなかったんだろう。

藤原先生　そうね。ふつうは蚊が飛び去って、刺されたところがかゆくなってから気づくよね。

注射針で刺されたらチクッとするのに、蚊に刺されても痛くないのはなんでかなあ。

注射の針と蚊の針のちがいはわかる？

蚊の針は注射針より細い！

正解。献血やワクチンで使われる主な注射針の太さは、直径1.2ミリ～0.4ミリ。対して、日本に多いアカイエカの口にある針は、太さが0.06ミリくらいで、すごく細いんだ。

へええ。

細さが大事なの。直径0.035ミリから0.2ミリまで5種類の針に刺されたときに、痛さのストレスを感じるか調べた動物実験があるよ。
　針の太さが0.095ミリまでは痛さを感じていなかったそう。

なんで細いと痛さを感じないのかな。

皮膚には痛みを感じる「痛点」があって、ここに針みたいなものがあたると、その情報が神経を通って伝わり、脳が痛みを感じる。細い針だと、痛点にあたらないから痛くないと考えられるね。

じゃあ、できるだけ細い注射針をつくれば痛くないんだね。

いまでは直径が0.18ミリの注射針も実用化されている。でも、その3分の1の約0.06ミリの細い針をつくった研究者がいるよ。蚊の針と同じくらい細い。

どうやってつくるの？

蚊の針はどれくらい細い?

画像はいずれも東海大学の槌谷和義教授提供

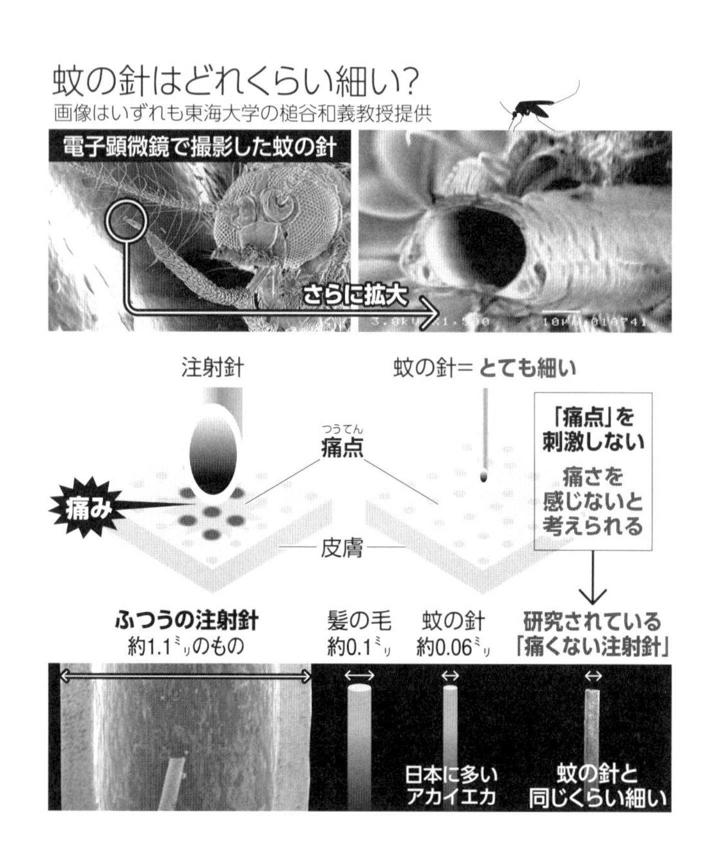

これまでの注射針は大きな材料を切ったり丸めたりしてつくっていたんだけれど、この針は「イオン」っていう、とても小さな粒を材料にぶつけて、材料を少しずつ積み上げるようにしてつくったそうよ。

イオンって何?

マイナスイオンやプラスイオンという言葉を聞いたことがあるかな？

イオンは電気を帯びた小さな粒のことで、中学校の理科で習うよ。こういうとても小さなものを扱う技術をナノテクノロジー（ナノテク）っていうのよ。

へえ。

蚊の針をヒントにした「痛くない注射針」のように、生きものがもつ優れたしくみをまねすることを、むずかしい専門用語ではバイオミメティクス（生物模倣）というの。ナノテクが発展して、できることが増えてきているんだよ。

へえー。じゃあ、ついでに聞くけど、蚊に刺されると痛くないけどかゆくなるのはなんで？

蚊が血を吸うとき、血が固まらないようにする成分を含んだ唾液を皮膚に入れるから。この唾液に、アレルギー反応を起こしてかゆくなるんだよ。

また、針の細さ以外にも、唾液の成分が痛みを抑えるのに関係するのではないかという研究もあるのよ。

（取材協力＝槌谷和義・東海大学教授、構成＝小堀龍之）

植物で、プラスチックがつくれるの？

広島県・武田さちこさんからの質問

A 石油を節約できて、温暖化対策にもなる

ののちゃん　レジ袋に「植物由来のプラスチック50%使用」って書かれてるよ。プラスチックって植物からできるの？

藤原先生　そうだよ。

　プラスチックは、もともと石油を原料につくられているのは知ってるかな？

　石油のかわりに植物を使ったものも増えていて、「バイオマスプラスチック」と呼ばれているよ。

どんな植物からできるの？

家畜のえさ用のトウモロコシも原料の一つで、食べものの容器や事務機器の部品などに幅広く使われているよ。レジ袋の場合はほとんどがサトウキビなんだって。サトウキビのしぼり汁から砂糖になるところをとりだしたあと、残った食べない部分（廃糖蜜）を使っている。

石油と同じものがつくれるなんて、ふしぎだね。

そうね。レジ袋に使われている「ポリエチレン」の場合、ふつうは石油から「ナフサ」を取り出して、熱を加えて「エチレン」という物質に変え、エチレンをつなげてポリエチレンをつくる。サトウキビでは、廃糖蜜の「糖」から「エタノール」を取り出して「エチレン」に変える。エチレンからポリエチレンにするのは、石油と同じ手順だよ。

石油があるのに、どうして植物を使うようになったのかな？

もともとは石油を節約するためだけれど、地球温暖化対策にもつながるんだ。

どういうこと？

原料が石油でも植物でも、プラスチックを燃やすと二酸化炭素（CO_2）が出る。

ただ、植物は育つときに光合成をしてCO_2を吸収するから、燃やして出る分と差し引きゼロとみなされるんだ。「カーボンニュートラル」といわれるよ。

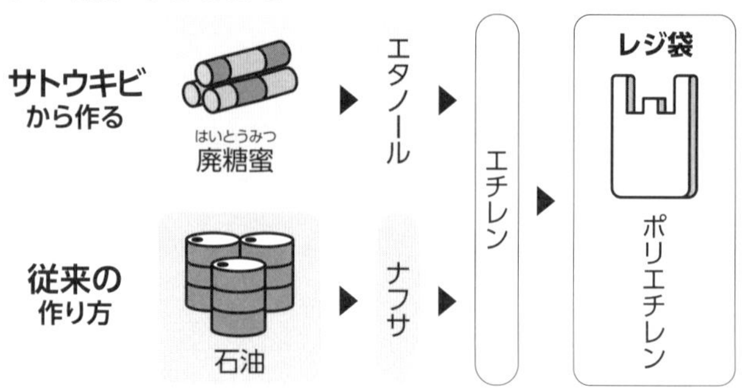

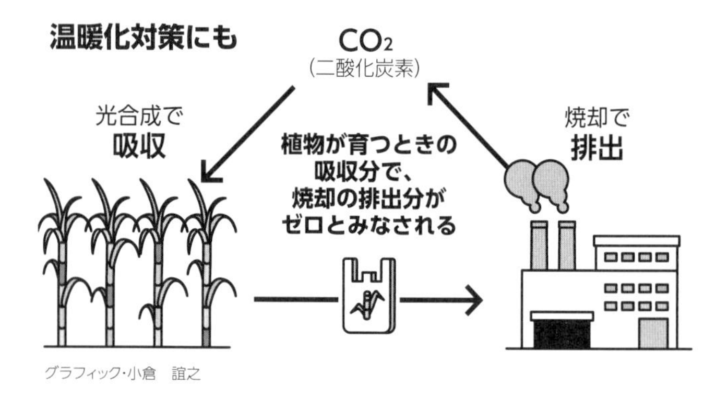

グラフィック・小倉　誼之

環境にもやさしいんだね。植物からできているなら、枯(か)れ葉みたいに自然にかえるのかな？

そこは誤解(ごかい)されやすいところなんだ。プラスチックが分解(ぶんかい)されず、海などに残り続けることが問題になっているのは知ってるよね？

うん。ニュースで見たよ。

原料が植物でも石油でも、分解されないプラスチックはたくさんある。一方で、自然の中で分解される「生分解性プラスチック」というものもあるんだ。

土の中の微生物がプラスチックを分解してくれて、さいごはCO_2と水になる。植物からできたプラスチックの中でも、生分解性もあれば、そうではないものもあることを覚えておいてね。

うん。でもややこしいね。

「バイオマスプラスチック」は原料が植物や微生物かどうかで区別しているし、「生分解性プラスチック」は分解されるかどうかという性質で分けているんだ。

この二つを合わせて、「バイオプラスチック」と呼ばれているよ。

分解されるプラスチックが増えればごみ問題も解決だね。

分解するには土にうめ立てたり、肥料にする設備で処理したりする必要があるの。ポイ捨ては絶対ダメだよ。

（取材協力＝横尾真介・日本バイオプラスチック協会事務局長、構成＝川田俊男）

朝日新聞 1997年06月26日（木）

第3章

食べものの

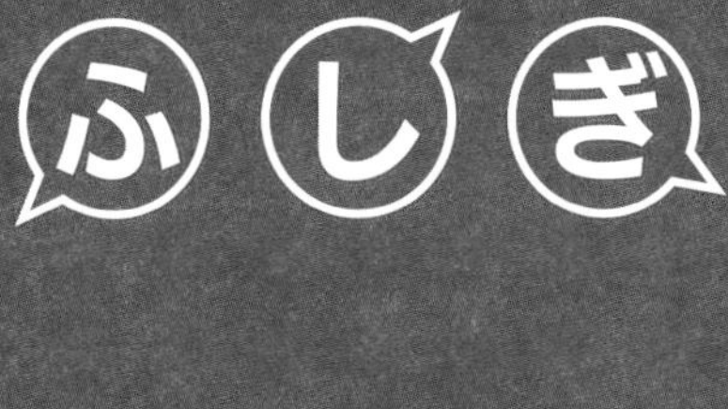

Q20 なぜ食べものを、好き嫌いしてしまうの？

大阪府・坂 愛子さんからの質問

A 本能的に危険を避けるしくみ。経験で変わるよ

ののちゃん　ピーマンを嫌いな友だちは多いよ。給食にピーマンが出ても食べられないんだ。

藤原先生　食べものの好き嫌いね。「味覚」が関係しているのよ。

味覚って何？

五感の一つで食べものの味を認識する感覚よ。基本的な味には、甘味、塩味、酸味、苦味、うま味の五つがあるの。

ピーマンなら苦いから、苦味だね。

そのとおり。それぞれの味にはからだへのサインがあるとされているの。

甘味はエネルギー源、塩味はミネラル、酸味は腐ったものや未熟なもの、苦味は毒物、うま味はたんぱく質を示すシグナルと考えられていて、人にはからだに必要なものを積極的にとり、害があるものは不快に感じる本能的なしくみがあるわけ。

やっぱり苦いピーマンは無理かな……。

子どものときは、甘味や塩味が好きでも苦味は嫌いというように、好き嫌いが強く表れやすい。だから野菜の苦味が嫌いな子どもは多いよね。

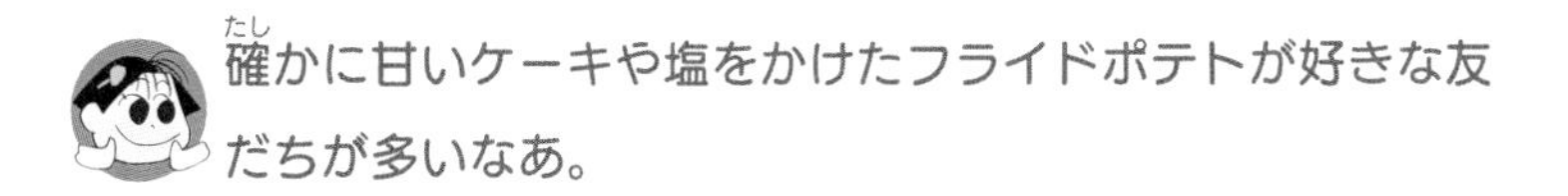

確かに甘いケーキや塩をかけたフライドポテトが好きな友だちが多いなあ。

毎日いろんなものを食べていく中で、酸味や苦味にも慣れ、味を楽しむ経験を積むことで、味の感じ方も変わっていくよ。

好みが変わるってこと？

そうだね。こんな調査がある。大学生410人のうち、嫌いだった食べものが嫌いではなくなった経験がある人は88%いたそうよ。

へえ、ほとんどの人が変わるんだね。

食べ物の好き嫌いが生じる理由

五つの「基本味」とシグナル

嗜好

甘味 → エネルギー源
塩味 → ミネラル
うま味 → たんぱく質

嫌悪

酸味 → 腐ったもの、未熟なもの
苦味 → 毒物

特に甘味、塩味、苦味は子どもの時に強く表れる

嗜好が変わった食品（大学生410人の調査）

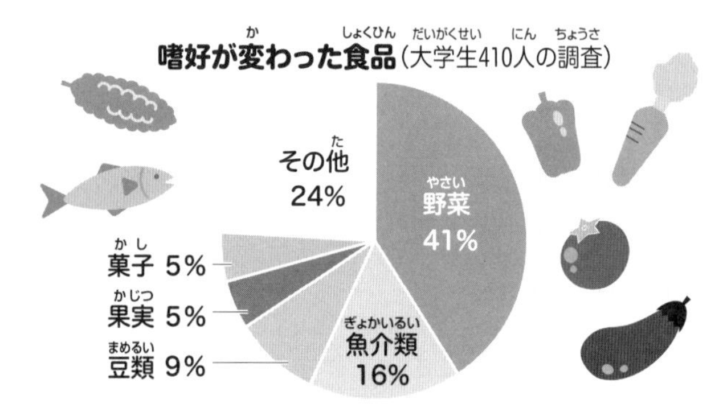

関西国際大学の堀尾強教授への取材から　　グラフィック・長野 美里

好き嫌いが変化した食べものの種類で一番多いのが野菜で、その次は魚介類だったの。小学校の高学年から大学生になるまでの間に変わった人が多かったんだって。

じゃあ、みんなピーマンを好きになるのかな。

好き嫌いが変わった理由は「久しぶりに食べてみたら食べられた」「たまたま食べたものがおいしかった」などが多い。食べる経験を積むことで、ピーマンも好きになる可能性は十分にあるね。

でも、大人になってもピーマンを嫌いな人はいるよ。

確かに、嫌いな食べものが克服できない人もいる。苦味の感じ方は人によってちがうんだけれど、苦味を感じやすいタイプの人は、特定の野菜を嫌う傾向にあるという研究も出ているそうよ。

好きだったものが嫌いになることもあるのかな。

たとえば、ある食べものを食べたあとにおなかが痛くなったり下痢をしたりすると、二度と食べたくなくなることがある。「味覚嫌悪学習」と呼ばれているよ。

（取材協力＝堀尾強・関西国際大学教授、構成＝合田禄）

Q21 冷凍食品は、ずっと腐らないの？

大阪府・内藤はづきさんからの質問

消費期限があるよ。溶ければふつうの食品と同じ

ののちゃん　お母さんが冷凍食品の魚フライを買ってきてくれたの。

藤原先生　魚や肉のおかず、ピザ、野菜、果物とか、冷凍食品はいろいろあるよね。

そういえば、袋に「賞味期限」が書いてあったよ。冷凍だから腐らないと思っていたのに。

食品の期限は「消費期限」と「賞味期限」があるの。まず、このちがいを理解してもらおうかな。

「消費」と「賞味」？　どうちがうの？

すぎたら食べないほうがいいのが、消費期限。製造後5日くらいまでに安全でなくなる可能性のあるサンドイッチや

お弁当、生麺などに表示されるわ。

賞味期限はおいしく食べられる期限。すぎてもすぐに食べられなくなるわけではない。劣化の遅い食品に表示されるよ。

なるほど。

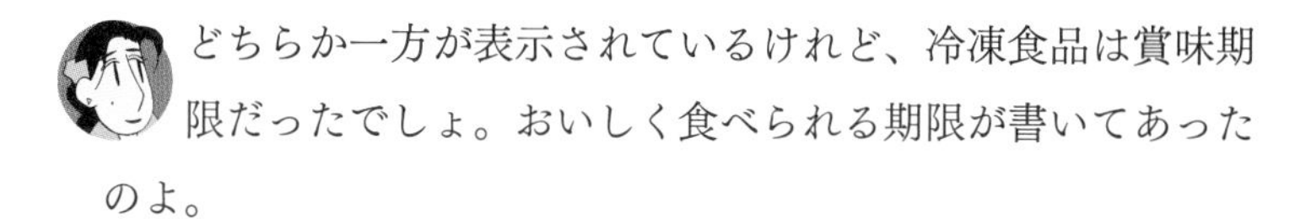
どちらか一方が表示されているけれど、冷凍食品は賞味期限だったでしょ。おいしく食べられる期限が書いてあったのよ。

冷凍食品の賞味期限はどのくらいの期間なの？

食品の種類や商品によってもちがうけれど、1年前後から1年半前後が多いわ。

期間を決めるために、メーカーは、実際に商品を保存して品質を評価する試験をするの。そのうえで期限を決めているの。

1年や1年半もおいしいままなんだね。

工場でつくられるときに、マイナス30度からマイナス40度くらいの冷気で急いで凍結させるの。氷の結晶ができるマイナス1度からマイナス5度くらいの温度帯は短時間にすぎる。

だから、氷の結晶で食品の細胞が損なわれる影響や野菜の

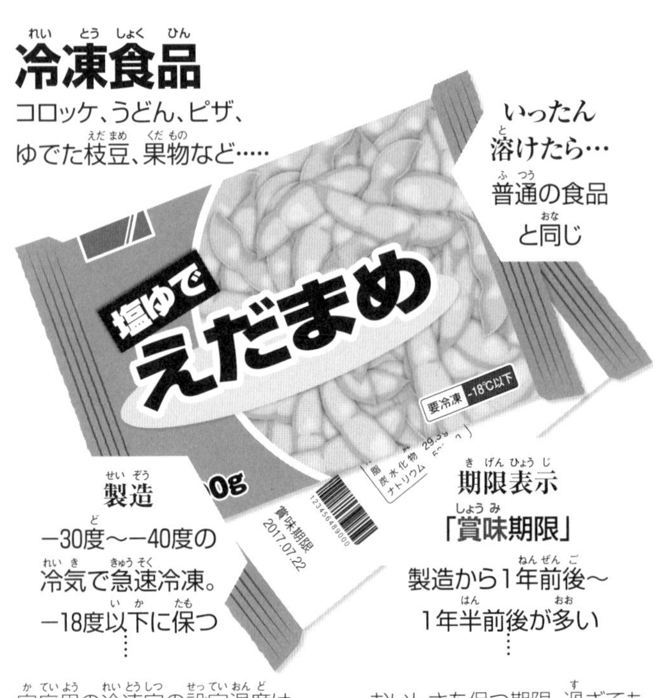

家庭用の冷凍室の設定温度は−18度だが、開け閉めなどで温度が上昇する場合も

おいしさを保つ期限。過ぎても食べられなくなるわけではない

ビタミンなど栄養素が減る影響が少ないの。家庭用の冷凍室とちがう点ね。マイナス18度以下に管理されていれば、賞味期限までは品質が保たれる。食中毒の原因になる菌や、それ以外の菌も、マイナス18度以下なら増える心配はないの。

マイナス18度以下にしておくってむずかしそうだね。

お店の冷凍食品売り場に温度計があるから、まず買うときにマイナス18度以下か確認して、お買いものの最後にカゴに入れてね。保冷剤で冷やしながら家に帰ることができれば、よりいいわね。冷凍食品を買ったときは寄り道しちゃだめ。家に着いたらすぐに冷凍室へ入れてね。

溶かしちゃダメなんだね。

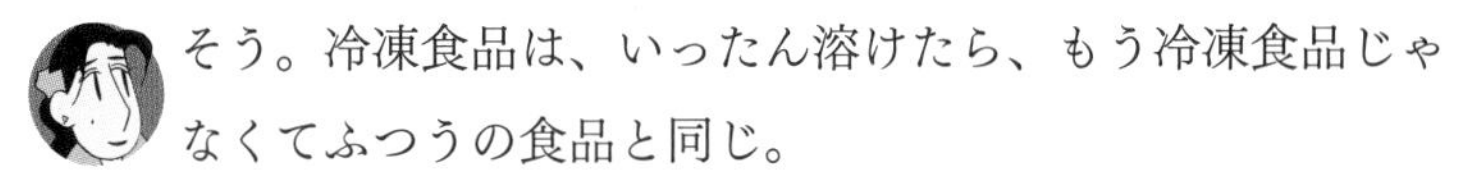
そう。冷凍食品は、いったん溶けたら、もう冷凍食品じゃなくてふつうの食品と同じ。

出しっぱなしにしちゃったり、冷蔵庫へ入れたりしたものは、すぐに食べましょう。冷凍室をしょっちゅうあけるのも気をつけて。アイスクリームを出すときは素早くとびらを閉めてね。

（取材協力＝三浦佳子・日本冷凍食品協会、構成＝神田明美）

Q22 お店のつぎ足しのタレって、腐らないの？

神奈川県・森宮彩南さんからの質問

A 塩や糖を加えたり熱で殺菌するから

ののちゃん　テレビで、老舗のうなぎ屋さんが紹介されているのを見たよ。創業してからずっと、タレをつぎ足して使っているんだって。

藤原先生　うなぎの風味がタレにうつっていて、おいしいだろうね。

でも、何年も前からつぎ足していると、腐らないのかな？

容器の中に古いタレがずっと残っているのかはわからないけれど、うなぎのタレで使われる調味料は、主にしょうゆやみりんで、もともと腐りにくい食品なんだ。

液体が腐るって、どういうことなんだろう。

まず、腐敗というのは、食べものの中にいる細菌や真菌などの微生物が、生きて増殖するために、エネルギー源となるアミノ酸などをとり込んで分解することで起こるの。食べものが元の状態から変わってしまう。

くさくなったり、すっぱくなったりするやつだ。

くさいと感じるのは、微生物がアミノ酸を分解して、アンモニアや硫化水素といった不快なにおいがする物質をだすから。

たくさんの種類の微生物がいて、いろいろな物質をだすんだけど、チーズや納豆といった発酵食品のように、人間がおいしいと感じてからだによい食品に変わることもあれば、からだに悪い物質がたくさんつくられて、おなかを壊してしまう食品に変わることもあるよ。

じゃあ、微生物が増えなければ、食べものは腐敗も発酵もしないんだ。

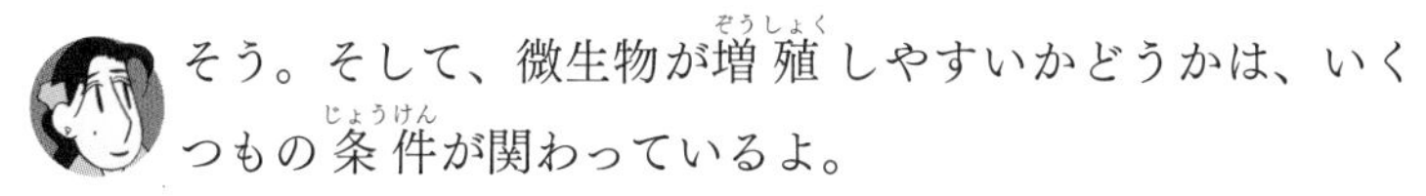

そう。そして、微生物が増殖しやすいかどうかは、いくつもの条件が関わっているよ。

保管する温度や、食べものの中にある栄養、酸性・アルカリ性の強さとか。

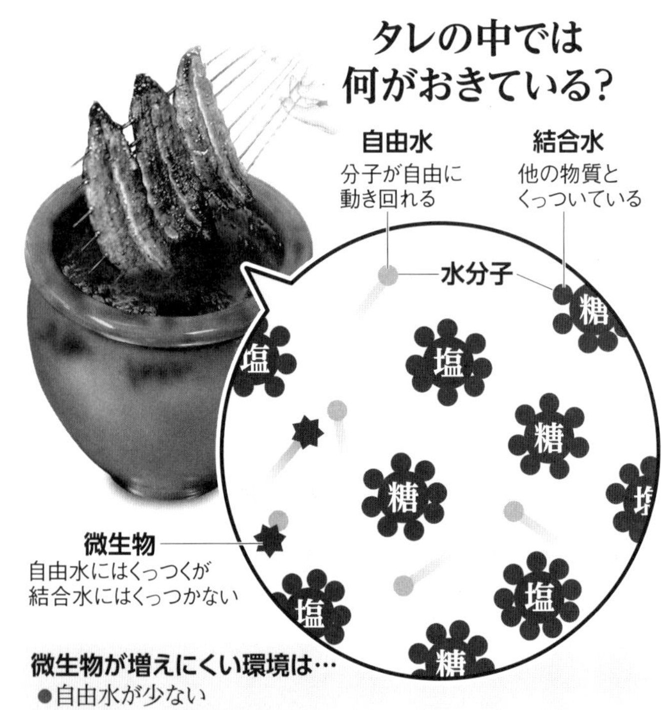

微生物が増えにくい環境は…

- 自由水が少ない
- 栄養(アミノ酸など)が少ない
- 低温度(30~40度で増えやすい、60度以上で殺菌効果)　など

複雑なんだね。

食品に含まれる水の性質も関係している。

食品の中には、分子が自由に動き回れる「自由水」と、糖や塩のような他の物質とくっついてしまう「結合水」という2種類の水があって、微生物は、すでに他のものとくっついて

いる結合水は使えず、ふわふわと浮いている自由水を利用する。

しょうゆやみりんは塩分や糖の濃度が高い分、結合水が多いので微生物が増えにくいんだよ。

確かに、しょっぱい漬けものとか、甘いジャムは長持ちするもんね。でも、腐らせないためにしょっぱくしすぎると、おいしくなくなるよ。

ほかの方法もあるよ。微生物の多くは、30〜40度で増殖しやすいけれど、60度くらいまで温度が上がると死んでしまうものも多いの。

うなぎ屋さんでは、焼いたり蒸したりして熱くなったうなぎをタレに何度もつけるから、タレも熱くなっていることがある。そして、タレを大きな鍋に入れて火にかけることで、殺菌することもあるんだって。

低温殺菌ってやつだ。

低い温度で保存しても増殖は防げるけど、完全に死滅させるのはむずかしいので、常温に戻るとまた増えてしまうから注意が必要ね。

（取材協力＝三宅眞実・大阪公立大大学院獣医学研究科教授、湯浅祐司・新東調理士会代表　構成＝吉備彩日）

Q23 キノコの毒は、なぜあるの？

福岡県・大井香凜さんからの質問

A キノコが生きるための物質、生だとぜんぶ毒

ののちゃん　秋だね～。今年こそマツタケだ！　とりにいこっかな。

藤原先生　詳しい人と一緒じゃないと危ないよ。食べたら死ぬような毒キノコもあるんだから。

簡単に毒キノコを見分ける方法ってないのかなぁ。

ないない。いろんなことをいう人はいるけれど、あまり根拠はないの。

食べられる種類の特徴をきちんと覚えるしかないね。大変だけど生兵法はけがのもと。そうそう、生といえば、どのキノコも生で食べればぜんぶ、毒だといわれているよ。

えー！　マジ？

シイタケを1個、生で食べたら下痢で1日動けなくなった、って話もあるよ。最近は生のマッシュルームをサラダに入れる人もいるけれど、量が少ないから大丈夫なだけ、というのが専門家の考え方ね。

なんでなの？

キノコがどんな生物かということから考えよっか。

キノコはふだん、朽ち木や落ち葉の中に細長い糸を張り巡らせた菌として生きているの。子孫を増やすときに地上にキノコをつくり、そこからまいた胞子が育つとまた菌ができるってわけ。

ふんふん。

菌は強力な消化酵素を自分のまわりに出して朽ち木や落ち葉、そこにすむ生物を溶かし、栄養を吸収しているの。

食用キノコで有名なヒラタケは、線虫を消化する酵素を出す。そうした強力な酵素が人間には毒なのよ。

菌は植物のように太陽光から栄養をつくれないし、動物のように食べものを探しにいけないから、こういう性質をもったのね。

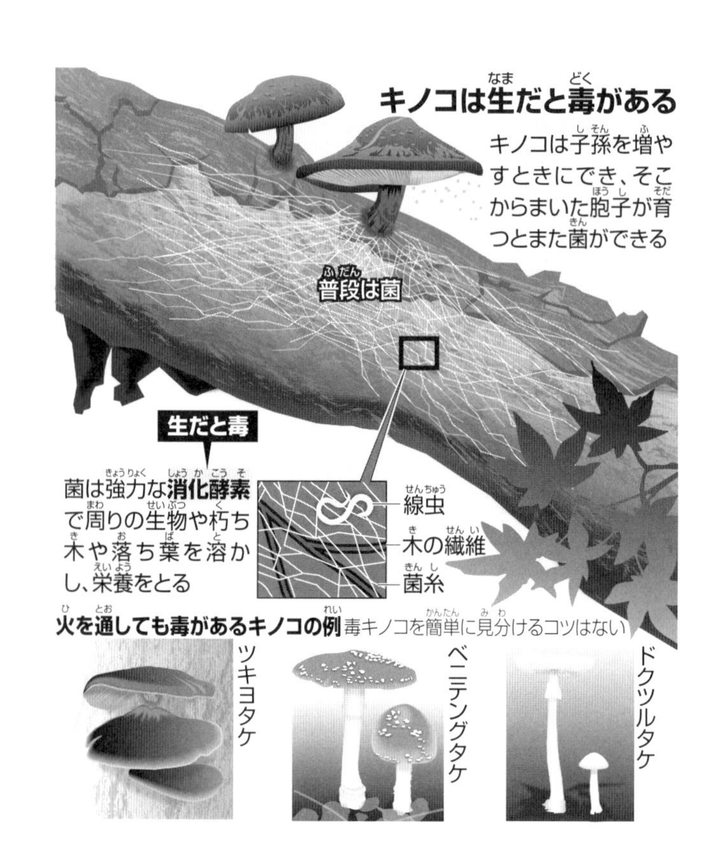

うへ～。

ただ、酵素はたんぱく質なので熱を加えると性質が変わり、たいてい無毒になるわ。

あれっ、毒キノコって、料理しても害があるんじゃないの。

そう。よくいう毒キノコの毒は、たんぱく質ではない物質によるものなの。平安時代の物語集『今昔物語』にも暗殺の道具として登場するツキヨタケは細胞を殺す物質が入っているし、テングタケの仲間は心臓の動きを遅くする毒をもっているわ。

こうした毒はたんぱく質よりずっと小さい物質で、熱によって性質が変わらないの。

どうして毒をもっているの？

動物に「食べたらダメだ」と知らせることで、自分が生き残りやすいようにしている可能性もある。毒でほかの菌を殺して自分が生き残りやすくする、というのもありそうね。

ただ、毒ってたくさん種類があって、種類ごとに毒の理由はちがうんだと思うよ。ある種類では、成長に必要な物質がたまたま人間には毒だった、ということもあるし。毒キノコが単純に見分けられないように、キノコの毒の種類も複雑なんだね。

（取材協力＝橋本貴美子・慶応義塾大学特任准教授、構成＝長野剛）

Q24 缶詰は、半永久的に食べることができるの？

兵庫県・大内喜美子さんからの質問

A 理屈はそう、でも保管方法が重要

ののちゃん　お母さんが台所から古い魚の缶詰を見つけたの。

藤原先生　どのくらい古いの？

いつ買ったか覚えていないんだって。「2014・3・16」って書いてあった。つくった日かな。

つくった日ではなくて、「賞味期限」の日付よ。缶詰の賞味期限はものによってちがうけれど、だいたい製造から3年程度。製造されたのは日付から3年ほど前かな。

けっこう前なんだね。期限もすぎてる。

賞味期限はおいしく食べられる期限だから、すぎても食べられないわけではないの。

生の肉や魚、おにぎりのように、数日以内に悪くなってしま

うものには、すぎたら食べてはいけない「消費期限」が書いてある。それとはちがうのよ。

おいしく食べられるといっても、缶詰はずっともつのかなあ。

腐るのを防ぐようにつくっているから、缶詰は長持ちするの。原料を調理して缶に詰めたら、空気を抜いて密封。空気や水、細菌が入るのを完全に防ぐように、ふたが閉められるの。

その後、加熱殺菌して細菌を死滅させたら、品質が変わらないよう、すぐに水で冷やすのよ。

へー。

腐る原因は細菌なの。だから、缶の中に細菌がいなくなって、外からも入ってこられないようになっていたら、どうなるかな？

腐らないね。

そうよ。だから、常温で適切に保管してあれば、理屈の上では、半永久的にもつということになる。

1938年に、イギリスで114年間保存されていた牛肉や野菜の

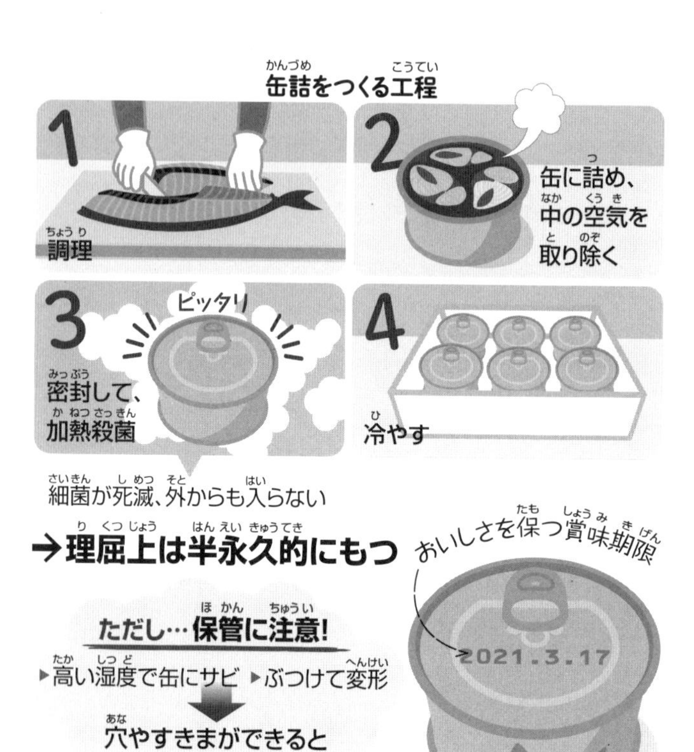

グラフィック・宗田 真悠

缶詰をあけたら、香りや味はそれほど悪くなくて十分に食べられたと報告されているよ。

すごいね。でも、古くなると缶に穴があいたりしないの。

気をつけないといけないね。
湿気がある場所に保管したら、缶がさびて穴があいてしまうかもしれない。冷蔵庫は湿気があるから入れないほうがいい。ぶつけて接合しているところがゆがむと、すき間ができるかもしれないし。
心配なときは、ふたがふくらんで見えるかどうか確かめてみて。指で触ってぺこぺこしたら、中の食品が腐ったり発酵したりしている可能性があるよ。

保管方法が重要だね。

そうよ。品質が悪くならないように、高温や直射日光も避けてね。
おいしく食べるには、賞味期限からあまり時間がたちすぎないほうがいいよ。災害に備えた保存食としている場合も、日常の生活の中で食べて、食べた分を買い足していく。こういう備蓄方法を「ローリングストック」というのよ。

（取材協力＝藤崎享・日本缶詰びん詰レトルト食品協会、構成＝神田明美）

Q25 みそ汁は、沸騰させちゃダメなの？

東京都・加藤琴音さんからの質問

A 少しだけなら、むしろよいかも

ののちゃん　お母さん、みそ汁にうるさいんだ。火の番を頼まれて、うっかり沸騰させたら怒られたよ。

藤原先生　うーん。長い時間の沸騰はよくないね。でも、一瞬だけグツグツさせるぐらいなら、かえっておいしくなるかも。

マジ？　どうして？

みそ汁って、香りも味わいの大事な要素なの。

香りは加熱の程度で変わるから、ちょうどいい加熱が大事なんだ。「沸騰直前で火を止める」や「沸騰直後に火を止める」ぐらいがいいとされているわ。

香りはどうして出るの？

みそって、大豆などを発酵させた食品だよね。こうじや酵母などの微生物が材料を分解することが発酵だけど、このとき、いろんな物質ができるんだ。その一部が香りの成分なの。香り成分は200種類以上あるといわれているわ。

ふんふん。

香り成分は気体になって鼻にくることで「香り」と感じられるんだね。加熱すると気体になりやすくなり、常温よりも強く香るのよ。

ここで問題なのが、香り成分には気体になりやすい物質とそうでないものがあることなの。

どういうこと？

気体になりやすい成分は、少し加熱するだけでどんどんみそ汁から空気に出ていって、そのうちなくなってにおわなくなる。

逆に、気体になりにくい成分は長く加熱しないと十分に香らないんだ。

なるほど。

みそ汁の香りを生かすには

香り成分5グループ

アルコール類	アルデヒド	エステル	炭化水素	有機酸

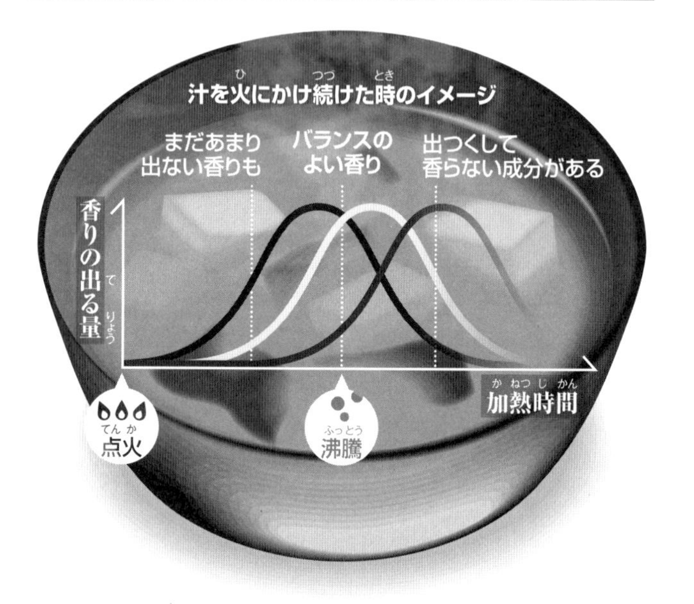

香り成分は大きく分けて5グループ。

一番、気体になりやすいグループのアルコール類がまだ汁に残っていて、最も気体になりにくい有機酸という酢の仲間も気体になって出てきている状態が、沸騰の前後ってわけなの。

このとき、いろんな香り成分がバランスよくみそ汁から気体になって飛び出していて、複雑ないい香りになるのね。

そっかぁ。ところで、加熱で味は変わらないのかな？

食品を加熱すると、糖分とたんぱく質の成分のアミノ酸が化学反応を起こし、苦味に近い味がするたくさんの種類の物質になるわ。

こうした物質もできた量の程度によっては苦くは感じず、食べものの味をグッと強く感じさせる「こく」の味わいをつくるのね。

あと、牛乳は加熱しすぎると、アミノ酸が体にとり込みづらい形に変わり、栄養が落ちることもあるよ。

加熱って奥が深いね。

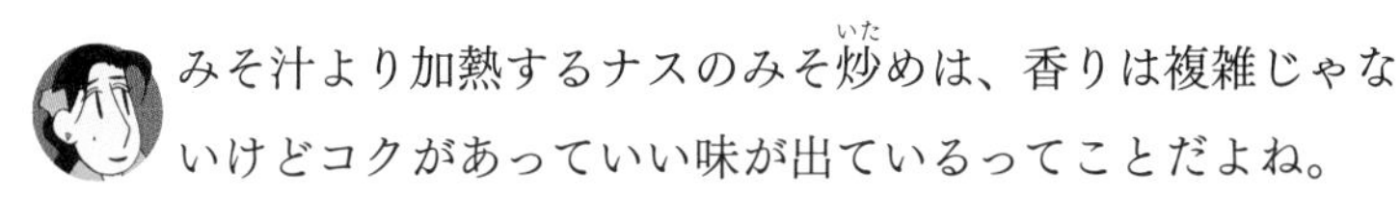

みそ汁より加熱するナスのみそ炒めは、香りは複雑じゃないけどコクがあっていい味が出ているってことだよね。

みそ汁の香りも、火を止めるのが沸騰する前か後かで意見のちがう人がいるわ。料理ごとに自分がおいしく思える加熱方法を見極めるのが料理の「ミソ」ね。

（取材協力＝五明紀春・女子栄養大副学長、構成＝長野剛）

Q26 硬水と軟水は、何がちがうの？

福岡県・藤田絵梨さんからの質問

A 溶けている成分の量で分けているよ

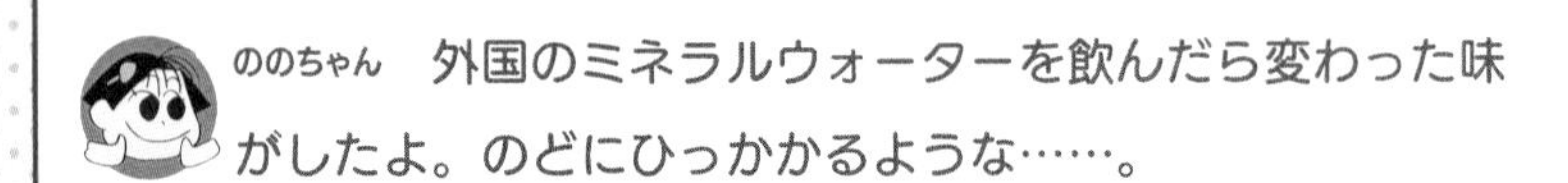

ののちゃん　外国のミネラルウォーターを飲んだら変わった味がしたよ。のどにひっかかるような……。

藤原先生　ヨーロッパの水だったかな。たぶん硬水だね。

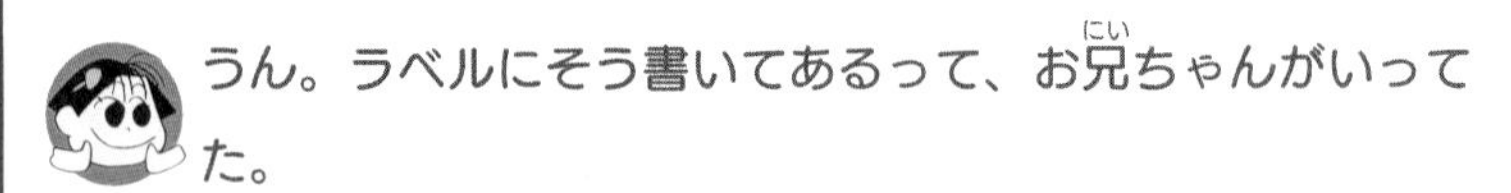

うん。ラベルにそう書いてあるって、お兄ちゃんがいってた。

ヨーロッパは硬水のところが多いんだよ。飲み慣れないのは、日本は軟水ばかりだから。硬水はクセがあって、軟水は口あたりがまろやかといったらいいかな。

水が硬いとか、軟らかいってどういうことなの？

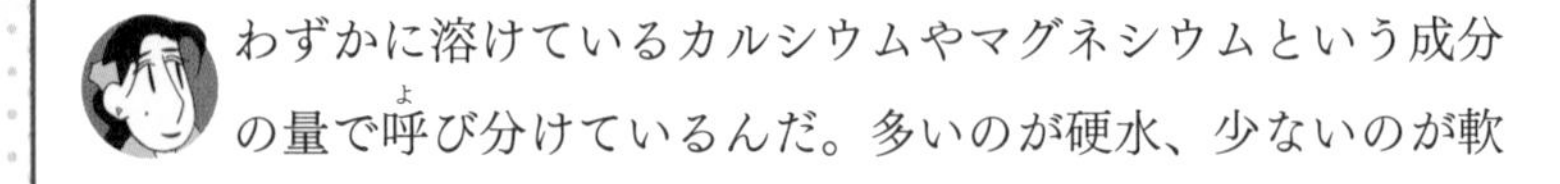

わずかに溶けているカルシウムやマグネシウムという成分の量で呼び分けているんだ。多いのが硬水、少ないのが軟

水。

この成分は、せっけんの汚れを落とす成分とくっついて、泡立ちをじゃまする性質がある。

だから、日本のボディーソープを外国にもっていくと、いつものように泡立たないことがあるよ。

へえー。

料理とも関係するよ。軟水は、昆布からいい「だし」をとるのに向く。カルシウムが多いと昆布の成分とくっついて表面をおおってしまうんだ。

一方、硬水で肉を煮込むと、生臭さの成分とくっついて「あく」として除いてくれる。

どうして日本とヨーロッパでちがうんだろう。

カルシウムやマグネシウムは雨にはあまり入っていなくて、土や岩石に含まれている成分なんだ。降った雨が地面にしみ込んで地下水になったり、川へ流れたりしている間に溶け込んでくる。

うん。

水の硬度とは…

カルシウム(Ca)やマグネシウム(Mg)が多いと高い

硬度(mg/ℓ) ＝$Ca \times 2.5 + Mg \times 4.1$

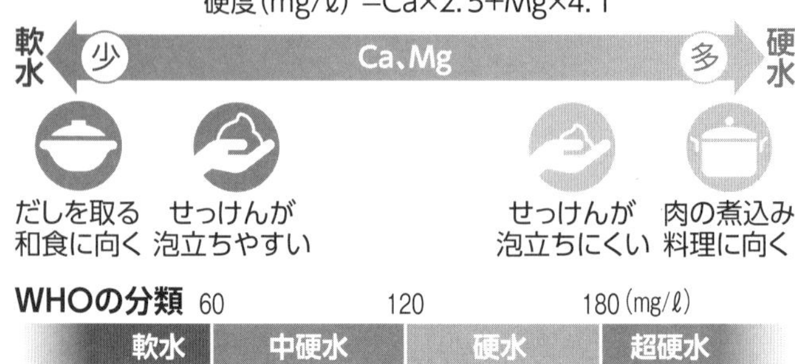

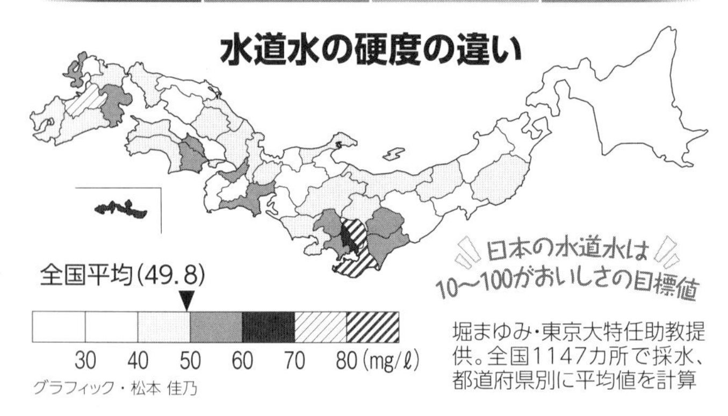

堀まゆみ・東京大特任助教提供。全国1147カ所で採水、都道府県別に平均値を計算

グラフィック・松本 佳乃

日本は島国で地形がけわしく、水がすぐに流れていってしまうのに対し、ヨーロッパは広い大陸だし、カルシウムを含む石灰岩もいっぱいある。

だから、長い時間をかけてたくさん溶け込む。その地下水をくみあげるから硬度が高いんだ。

硬度って？

カルシウムとマグネシウムが多いほど高くなる尺度だよ。これで硬水、軟水を分けるけど、区切り方はいろいろある。日本の水道水は、おいしさの面で10～100の間に保つ目標があって、全国の蛇口から水を集めて調べた研究では、多くがこの範囲に入っていた。

ヨーロッパの水道水では100～300くらいが多かったって。1000を超えるミネラルウォーターもあるよ。

ずいぶんちがうんだね。

国内でも地質や水源によるちがいはあって、関東地方や熊本、沖縄などは高め。関東は川を流れてくみ上げられるまでの間が長く、まわりで使われた水も入ってくる。熊本は阿蘇山のふもとのミネラル豊富な地下水を使うし、沖縄は石灰岩が多くあるからね。

もちろん、同じ県でもばらつきはある。雪解けの時期に硬度が下がることもあるそうだよ。

水もいろいろなんだ。

同じメーカーの国産ミネラルウォーターでも、くみ上げた場所によって硬度がちがったりするよ。ラベルの数字を見て飲みくらべてみるとちがいが感じられるかもしれないね。

（取材協力＝堀まゆみ・東京大学教養教育高度化機構特任助教、構成＝佐々木英輔）

Q27 渋柿を干し柿にすると、どうして甘くなるの？

東京都・小柳友理香さんほかからの質問

A タンニンの渋み、感じなくなるから

ののちゃん　前に、農家の軒先に柿がつるしてあるのを見たことがあるよ。

藤原先生　干し柿ね。やわらかい「あんぽ柿」も、長く干してかためにした「ころ柿」もおいしいよね。

柿には甘柿と渋柿があって、干し柿にするのは渋柿なんだよね？

そうなのよ。柿には平べったい形や筆先のような形があるけれど、見かけでは甘柿と渋柿は見分けられないの。

へえー。ところで、渋柿はなんで渋いんだろう。

タンニンって聞いたことがある？　ワインやお茶にも入っている渋み成分で、柿の渋みの正体もタンニンの仲間。果

肉に溶けこんでいるよ。

干すとどうして甘くなるのかなあ？

干すと果肉に溶けたタンニンがほかの物質とくっついて大きくなるの。それで人間の舌にある渋みセンサーに反応しなくなるから、甘みを感じるようになるわけ。

干す前の渋柿にも甘味成分はあるけれど、もともとタンニンの渋みが邪魔しているよ。

なるほど。

それに、干すと水分が減って密度が高くなるから、タンニン同士がくっつきやすい。干す間にできる化学物質アセトアルデヒドともくっつくよ。

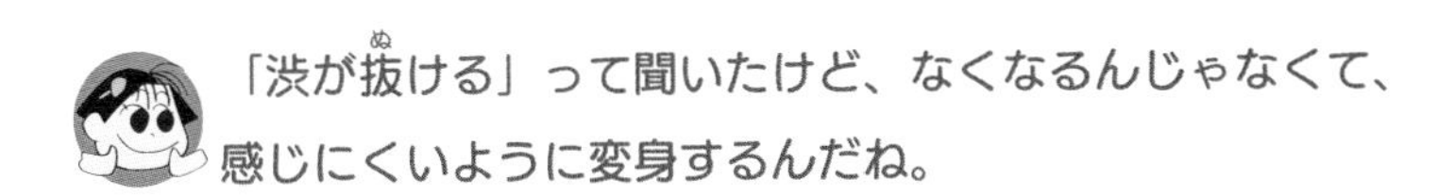

「渋が抜ける」って聞いたけど、なくなるんじゃなくて、感じにくいように変身するんだね。

そのとおり。

渋抜きっていえば、おばあちゃんが、焼酎を渋柿のへたに塗ってポリ袋に入れたら甘くなってたよ。

The Asahi Shimbun

干し柿が甘くなるしくみ

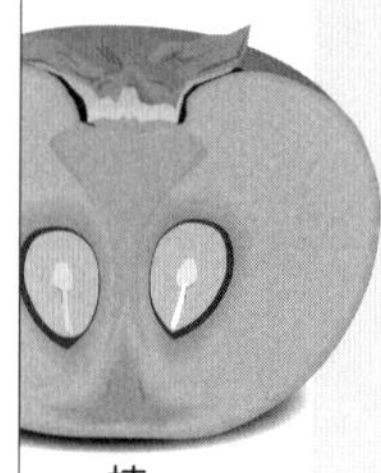

柿

干しイモが甘くなるしくみ

サツマイモ

渋抜きには干し柿にするほかに、アルコールをかける方法や、ドライアイスのような炭酸ガス（二酸化炭素）をかける方法もある。どちらの方法でも、タンニンとくっつく化学物質ができて、変身するの。

干しイモが甘くなるのも、同じしくみ？

じつは別よ。タンニンなどの渋みもないからね。

じゃあ、何で甘くなるの？

干しイモをつくるには、まず蒸してから皮をむいて干すの。蒸すことで加熱されて糊になったでんぷんを酵素が分解して麦芽糖を大量につくる。

　焼きイモも同じよ。さらに干すと水分が抜けて、つくられた糖が濃縮されて、もっと甘くなる。

むかしながらの技にも意味があるんだね。

（取材協力＝田中敬一・農業・食品産業技術総合研究機構果樹研究所、中村善行・同機構作物研究所、松尾友明・鹿児島大学教授、菅沼俊彦・弘中和憲・帯広畜産大学准教授、構成＝竹石涼子）

Q28 梅干しはすっぱいけれど、酸性なの？　アルカリ性なの？

栃木県・秋田悠太朗さんからの質問

すっぱいから酸性。成分による分け方もある

ののちゃん　きょうはリトマス試験紙を使って遊んだよ。梅干しに青い紙をあてたら、赤くなったの。

藤原先生　酸性かアルカリ性かを調べる紙だね。梅干しは酸性だということがわかったね。

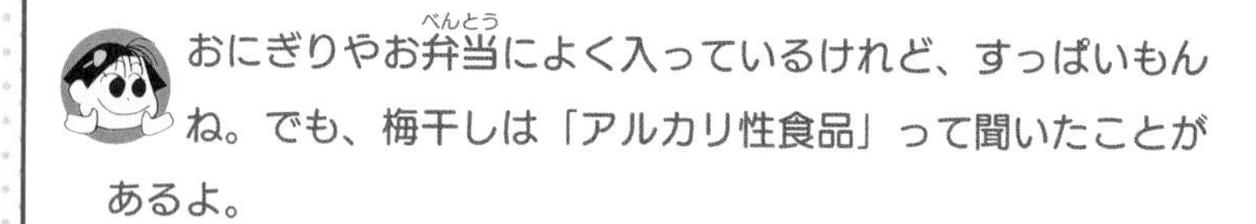

おにぎりやお弁当によく入っているけれど、すっぱいもんね。でも、梅干しは「アルカリ性食品」って聞いたことがあるよ。

梅干しそのものは、食べたときに感じるとおり、強い酸性だよ。梅の実も酸性で、これを塩につけ込んで、干して味つけすることで梅干しができるんだ。

酸味の正体はクエン酸。梅の実一つに1グラム以上含まれていて、レモンなどのかんきつ類にもたくさん入っているよ。

どういうこと？　酸性なの？　アルカリ性なの？

食品を、アルカリ性食品、酸性食品とするのは、リトマス試験紙で直接調べるのではなく、中身の成分で分ける考え方だよ。食品を燃やし、残った灰を水に溶かして調べるの。

梅干しを燃やすと、カリウムやナトリウムといった成分が多く残ってアルカリ性をしめす。だから、アルカリ性食品だといわれているよ。

じゃあ、食べたときの味は関係ないんだね。

梅干しだけじゃなくて、野菜や果物もアルカリ性食品。肉や魚はリンなどが残り、酸性食品に分けられているよ。

でも、この考え方はあまり使われなくなっているんだ。

そうなんだ。

アルカリ性食品はからだによいといわれることもあるけれど、食べものでからだがアルカリ性や酸性に傾くことはないよ。人間のからだには同じ状態を保とうとするしくみがあるからね。

からだに必要な成分がとれるよう、いろんな食品を食べるようにするほうが大切なんだ。結果的に、アルカリ性食品と酸性食品をバランスよく食べることになるかもしれないね。

梅干しができるまで

- クエン酸をたくさん含む
- 生の実のときから酸性

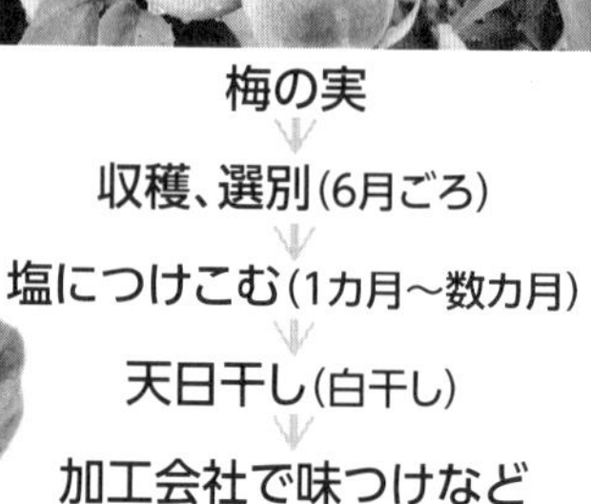

梅の実
↓
収穫、選別（6月ごろ）
↓
塩につけこむ（1カ月～数カ月）
↓
天日干し（白干し）
↓
加工会社で味つけなど

酸性食品とアルカリ性食品の例

アルカリ性
野菜や果物など

酸性
肉や魚、ご飯など

- 食品を燃やして残った灰を水に溶かし、酸性かアルカリ性かを区別
- アルカリ性食品だから体によいわけではなく、それぞれの食品の機能が大切

写真はいずれも和歌山県みなべ町提供

お肉ばっかりじゃなく、野菜も食べなさいっていわれるもんね。

梅干しも、いろんな機能があることが調べられているよ。

たとえば、食中毒を起こす黄色ブドウ球菌を梅干しと一緒に試験管に入れると増殖がさまたげられる。梅干しに含まれるポリフェノールの一種、シリンガレシノールという成分のはたらきが関わっていて、胃がんの原因とされるピロリ菌の動きもじゃますることが、わかっているよ。

お弁当に梅干しを入れると、傷みにくいってやつだ。

もちろん梅干しのはたらきにも限りがあるから、たよりすぎてはダメ。梅干しのすっぱさで唾液がたくさんでると、唾液に含まれるアミラーゼという消化酵素が、ご飯などのでんぷんの消化を助けてくれるよ。

梅干しはご飯と相性がよい食べものなんだね。

これから暑くなって汗をよくかくようになると、夏バテの予防にも役立つよ。梅はカルシウムや鉄といったミネラルが豊富なうえ、クエン酸には疲労回復の作用がある。塩分もとれるしね。

ただし、水分も一緒にとることが大切だよ。

（取材協力＝宇都宮洋才・大阪河崎リハビリテーション大学教授　構成＝吉備彩日）

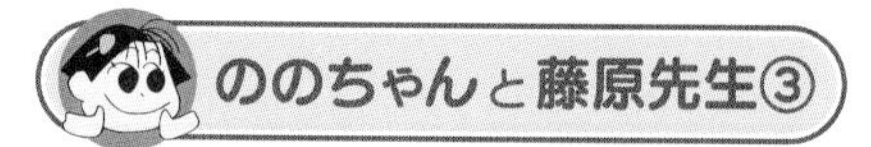

ののちゃんと藤原先生③

朝日新聞 2001年06月26日(火)

第4章

社会と科学の

「チャットGPT」って、どんな役に立つの？

京都府・山田智樹さんほかからの質問

A 会話を学んだAIが、文章で質問に答えてくれるよ

藤原先生　遠足のコースは……。なるほど、そこもいいね。

ののちゃん　パソコンで何をしてるの？

チャットGPTに、オススメの遠足コースを聞いているんだよ。

あっ、ニュースでよく聞くやつだ。どんなものなの？

インターネットで無料でも使えるサービスだよ。

　人工知能（AI）と呼ばれる高度なプログラムで、キーボードで打ち込んだ質問に答えてくれるんだ。文章の要約や英語への翻訳をしたり、料理のレシピや旅行のプランを教えてくれたりするんだ。

へえ。使ってみせて！

子どもだけで使うのはルール違反だから、先生がやってみるね。「小学生にもわかるようにAIについて説明してください」っと。

チャットGPT「簡単な言葉で説明しましょう。魔法使いが、魔法の本を読んでいろいろな魔法を覚えるイメージが役立つかもしれません」

わっ、すごい。いきなり文字が出てきたよ。

チャットGPT「AIは大量のデータ（これが魔法の本にあたります）を読み込むことで、新しいことを学び、問題を解決する方法を見つけます。
　大量のネコの写真を見て『これがネコだ』と認識する方法を学べば、新しい写真を見たときにも、『ネコだ』といえるようになります」

本当に、魔法みたい。

デジタルカメラで撮影するとき、人の顔の部分を枠で表示できるよね。AIのおかげ。スマートフォンに話しかけて操作できる機能も、AIが声を言葉として認識してくれているからだよ。

チャットGPTは、どうしてこんなことができるの?

ネット上にある大量の文章を読み込んで自然な言葉遣い(づか)を学習しているんだ。AIの回答の中から、人間が見て好ましい答えを学ぶこともしているの。そうすると、それらしい答えを出せるようになった。

ただ、言葉遣いは正しくても、内容はでたらめなこともあるから、あくまで参考だね。

でたらめもあるのか。

AI研究者の究極の目標の一つは、人間と同じような知能をもつ機械をつくりだすこと。チャットGPTは目標に近づいたという見方もあるけれど、文章の意味を理解したり、感情をもったりするまではたどりついていないよ。

次に続く言葉は何がふさわしいか、コンピューターで数学の式をいっぱい解いて答えているんだ。

心はないけど頭はいいんだね。じゃあ、私の宿題も……。

将来、AIを使いこなせることが大事になるかもね。でもいまは自分の頭でいっぱい学んで、AIに負けずに賢くなってね。

がんばります……。

（取材協力＝松林優一郎・東北大学准教授、構成＝竹野内崇宏）

Q30 テフロンの調理器具は、なぜ焦げつかないの？

千葉県・塚本健太さんからの質問

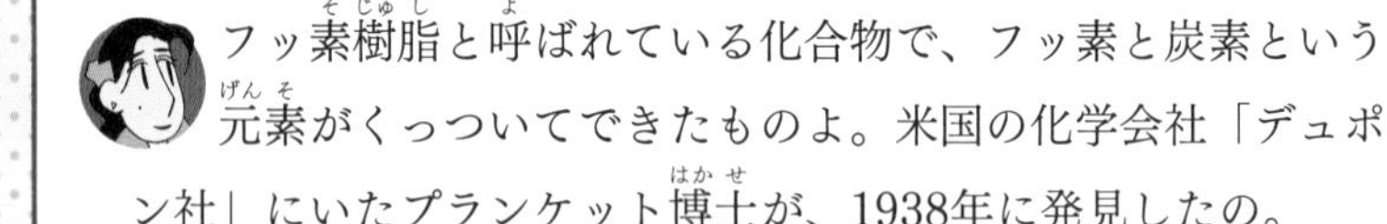

A フッ素と炭素が守っているの

ののちゃん　目玉焼きをつくってみた。先生のこのフライパン、うちのとちがって焦げつかないよ。

藤原先生　「テフロン」が塗られているからね。

テフロン？

フッ素樹脂と呼ばれている化合物で、フッ素と炭素という元素がくっついてできたものよ。米国の化学会社「デュポン社」にいたプランケット博士が、1938年に発見したの。

むずかしい化合物名でいえば、「ポリテトラフルオロエチレン」というんだけれど、デュポン社が「テフロン」という商品名をつけたの。いわば、フッ素樹脂の代表格ね。

なんで焦げつかないの。

料理をするときはフライパンやお鍋を熱くするでしょ。お肉や卵から水分が蒸発して炭のようになって、鉄やステンレスの金属面にくっつくのが「焦げつき」。

だけど、フッ素樹脂で表面をおおうと、フッ素と炭素がしっかり結びついているので、温度が高くなってもほかの物質とはくっつきにくいの。ほかにも摩擦が少なく、薬品にも強く、水や油をはじくという特性があるよ。

へえ。だから油をひかなくても大丈夫なんだね。

触ってみると、表面がすべすべでしょ。テープを張っても、簡単にはがせるし。あらかじめ油が塗ってあるようなものね。

どうやってつくるの？

ふつうはフライパンやお鍋の表面にフッ素樹脂の粉を吹きつけ、いったん乾かしたあとに全体を温めるの。

すると、粉のつぶつぶが溶けて皮膜ができるの。これがコーティング。ロウソクのろうを粉々にしてあぶると、とろっと液状になってくっつくでしょ。あれと同じよ。

鉄より軽いアルミニウムとかに吹きつければ、軽いフライパンができそう。便利だね。

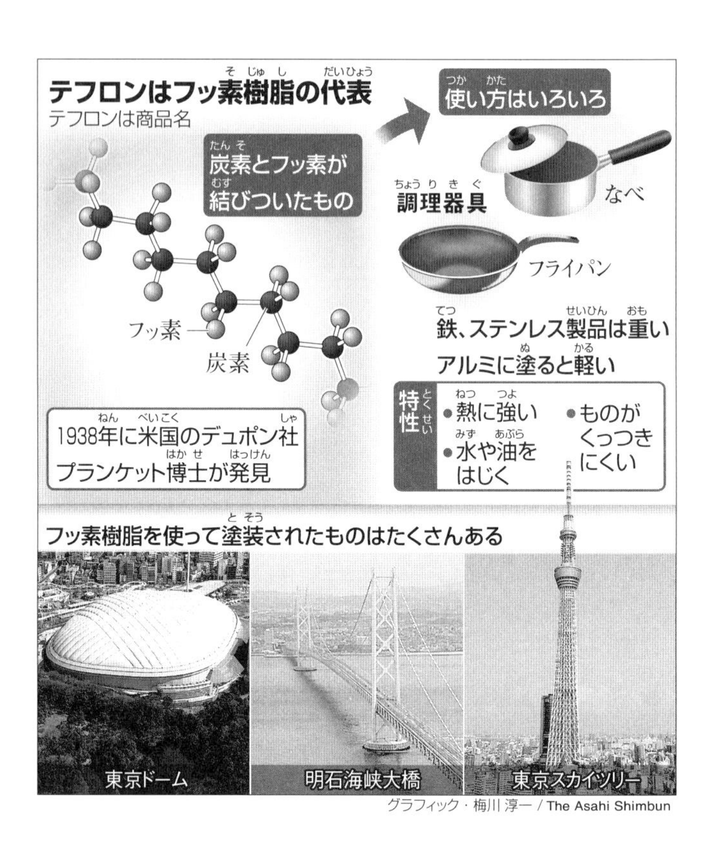

グラフィック・梅川淳一 / The Asahi Shimbun

ただ、注意も必要よ。コーティングした表面はとってもデリケートなの。

金属やナイロンのたわしで洗うとせっかくの皮膜がはがれちゃうの。汚れは、食器などを洗う中性洗剤をやわらかいスポンジにつけて落とすこと。

たいていのお料理なら大丈夫だけど、260度以上の高温になると溶けだすこともあるから、直接あぶったり、空っぽで火にかけたりはしないようにね。

お料理の道具以外には、使われていないの？

工夫されたフッ素樹脂の使い道は多いよ。

からだに点滴を入れたりする針や、小さい電子部品をおおったり。建物に塗れば雨や風、太陽の光といった自然の力から長く金属を守ってくれる。なかなか手入れができない高層ビルや海をまたぐ大きな橋とかもね。東京スカイツリーにも塗られているよ。

（取材協力＝産業技術総合研究所サステナブルマテリアル研究部門・穂積篤研究グループ長、浦田千尋研究員、構成＝藤島真人）

Q31 自転車は二輪なのに、どうして倒(たお)れないの？

三重県・西崎正行さんからの質問(しつもん)

A 前輪にひと工夫(くふう)してある。人がバランスをとることも重要

ののちゃん この前、自転車に乗ったら気持ちよかった。でも、走っているとどうして倒れないの。

藤原(ふじわら)先生 理由の一つ目は、倒れにくい形。自転車の前輪をよく見て。何か特徴(とくちょう)に気づかないかな。

うーん。タイヤとハンドルがあって、それを金属(きんぞく)のフレームがつなげているように見えるけど。

フレームは「フロントフォーク」と呼(よ)ぶの。地面に対して垂直(すいちょく)ではなく、斜(なな)めにとりつけられている。このほうが、車輪がスムーズに回り、ハンドルも安定し、わずかな力で前に押(お)し出しやすくなるの。

たとえば、掃除機(そうじき)を動かすときも、床(ゆか)と垂直(すいちょく)にすると動かしにくいけれど、斜めにすると楽に動くでしょう。

よく見ると、フロントフォークは先が曲がっているよ。

よく気づいたね。この曲がりがポイント。フロントフォークの軸より前方側の面積が大きくなるため重くなり、自転車が傾いた方向にハンドルを切りやすくなる工夫なの。

駐輪のとき、片足スタンドで自転車を傾けて止めると、前輪が傾いた方向に回るのは、このためよ。

そういえば！

走る自転車が左側に傾くと、車輪も左にきれて左へ少しカーブするように進むのよ。

この際、「遠心力」という車体を引き戻そうとする力が右向きにはたらくため、倒れることはないの。右側に傾いたときも同様ね。

さらに、コマが回ると倒れないように、車輪が回転すると、その面を一定に保とうとする力もはたらく。こうした力は、自転車が止まっているときははたらかないよ。

でも、人が乗らずに自転車を押すとしばらくして倒れちゃう。

それがもう一つの理由よ。

じつは、最も重要なのは、人がバランスをとっているか

自転車は倒れにくい

形にポイントがある

前輪の前の方が重くなり、自転車が傾いた側にハンドルを切りやすい

（その時、自転車を引き起こす遠心力が生じる）

人がバランスをとる

ハンドルを右に切りながら、体を左に傾けてバランスをとっている

（自転車が左に傾いた時はこの逆）

昔の自転車はバランスがとりにくく、倒れやすかった

ら。自転車が傾くとハンドルを傾いた方向にきる一方で、からだを反対側へ傾けてバランスをとっているのよ。この動作を繰り返すことで倒れない。

初めての人がうまく自転車に乗れないのは、この操作に慣れていないからだよ。

奥が深いんだね。

世界で初めての自転車は、足で蹴って進むタイプで、1817年にドイツのドライス男爵が発明したのよ。

その後、前輪にペダルがついた三輪車タイプが発明されたけれど、フロントフォークは地面に垂直で、バランスが悪く転倒しやすかった。

安定して走りやすい自転車の開発は、産業革命の起きた英国を中心に進み、1880年代後半には、現在の自転車の元が完成したんだ。

どう練習すればいいの？

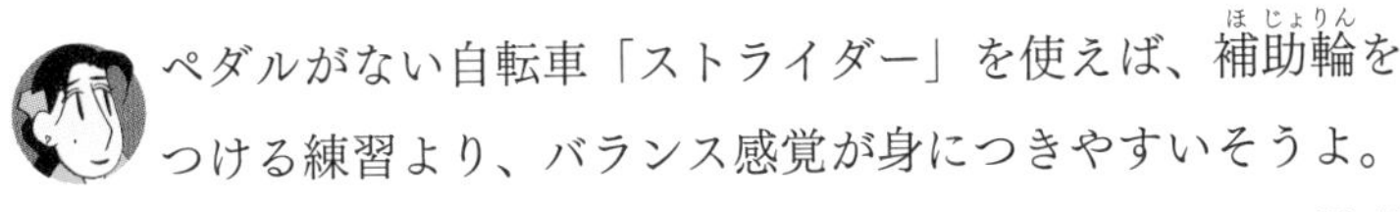

ペダルがない自転車「ストライダー」を使えば、補助輪をつける練習より、バランス感覚が身につきやすいそうよ。

転ぶといけないから、練習は公園などの車が通らない場所で、保護者と一緒にしてね。

（取材協力＝谷田貝一男・自転車文化センター、構成＝石倉徹也）

太陽電池で電気をつくるしくみは、どうなっているの？

東京都・福島康彰さんからの質問

A 光があたると、電子が移動するの

ののちゃん　隣にできたおうちの屋根に黒く光っている板がのっかってるけれど、あれって何？

藤原先生　あれは太陽電池よ。

どひゃー。電池ぃ～？

そう。太陽電池にも乾電池のようにプラスとマイナスがあって、そのプラスとマイナスを電線でつなぐと電気が流れるのよ。

乾電池ならテレビのリモコンに入れたことがあるよ。

プラスのところが出っぱっていて、マイナスのほうは平べったかったけれど、それとはだいぶ形がちがうなあ。そもそも電気って何？

電気の正体は、目に見えない「電子」っていう小さな粒なの。電子はマイナスの電気をもっていて、電池のマイナスから電線を通って電池のプラスへと移動していくの。

これが電気の流れ、つまり電流の正体ね。

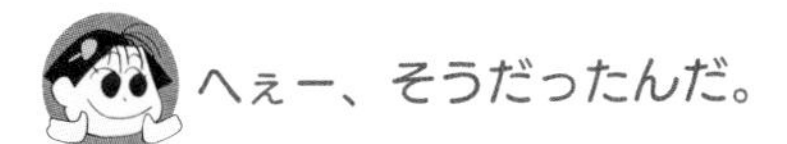

太陽電池で電気が流れるしくみも同じ。あの黒く光った板みたいなところは、電子の多い部分と、少ない部分が重なってできているの。

電子の多い部分と、少ない部分？

電子と、電子が座るいすがある部屋を想像してみて。太陽電池の中は、電子がいっぱいいて、座るいすが足りなくてうろうろしているマイナスの部屋と、電子が少なくて空席があるプラスの部屋に分かれているの。

そこで太陽の出番よ。太陽の光が太陽電池に当たると、電子は光がもっているエネルギーをもらって、いすから立ち上がって歩きだすのよ。

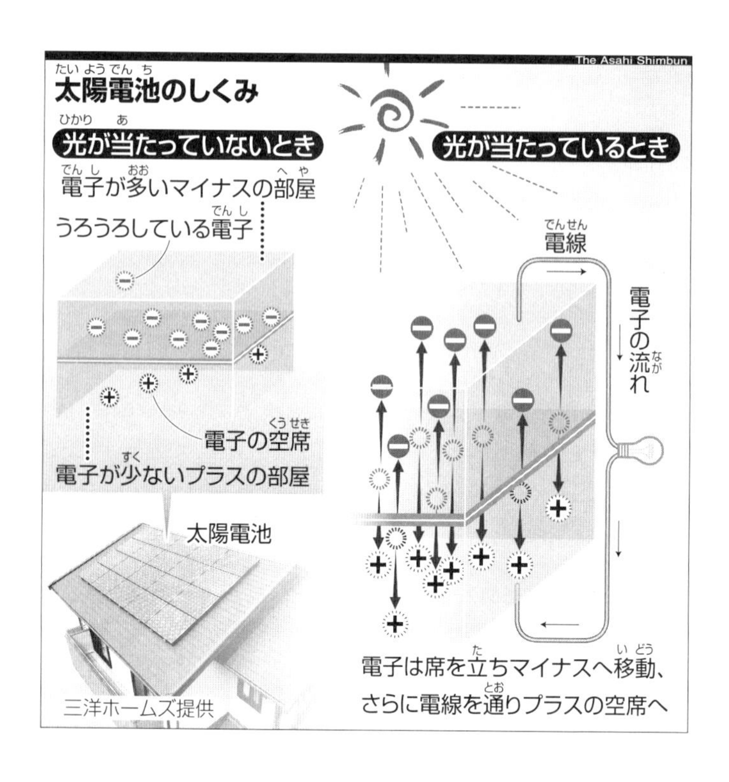

歩くって、どういうこと？

エネルギーをもらった電子は、みんなマイナスの部屋に向かって移動するの。マイナスの部屋には電子がたくさんたまって、電子がすし詰め状態になるわ。

そうなると、電子はどうにかして部屋から出ていこうとするから……。

わかった！　電池のマイナスとプラスを電線でつなぐと、電子がそこを流れるんだ。

そのとおり！　太陽の光が当たり続けていれば、電子が次々と立ち上がって歩き出し、電気が流れ続けるわ。

　でも、光が当たらないと電子が移動しなくなり、電池のはたらきができなくなるの。

だから、太陽が月の影にすっぽりかくれちゃう日食はこわいんだね。

え？　なんで？

だって「かいき日食」っていうもん。

それは「皆既日食」で、太陽がぜんぶかくれちゃうということ。「怪奇」じゃないよ。

（取材協力＝松村道雄・大阪大学、丸山英治・三洋電機、構成＝石橋達平）

Q33 山のトイレのしくみは、どうなっているの？

広島県・原田英子さんからの質問

A 微生物が分解するトイレがあるよ

ののちゃん　山登りの季節だよ。山でのお弁当が楽しみだけれど、急におなかが痛くならないか心配。山のトイレってどうなっているの。

藤原先生　いろいろあるよ。たとえば、世界自然遺産の屋久島（鹿児島県）にはバイオトイレがあるよ。

どんなしくみなの？

便器の下に水じゃなく、おがくずなどが入っているの。おがくずには小さな穴があいていて、目では見えない微生物がいっぱいすみついているのよ。その数は1立方センチメートルに、なんと1億以上にもなるの。

へー、それで？

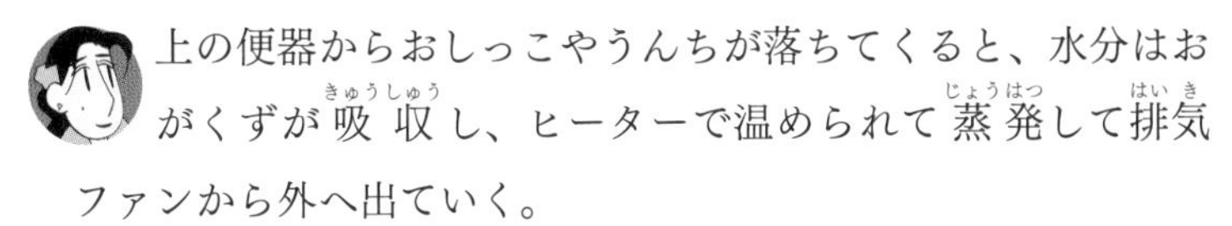

上の便器からおしっこやうんちが落ちてくると、水分はおがくずが吸収し、ヒーターで温められて蒸発して排気ファンから外へ出ていく。

うんちのほうは、おがくずや空気と一緒にスクリューでかきまぜられ、微生物が水や二酸化炭素などに分解する。蒸発も分解もされなかった分だけが最後に少しだけ残るわけ。「生物処理式」と呼ぶのよ。

それはすごい。

でも、微生物によくはたらいてもらうには、温度や水分がちょうどいい条件じゃないとダメなの。山は地上より寒いから、温かくしないとうまくいかない。

つまり、バイオトイレは電気なしではむずかしいのよ。石油などを使った自家発電の機械を利用する山もあるよ。

バイオトイレがない山は、どうしているのかな。

便器の下のタンクにためておいて、ヘリコプターなどで降ろす「持ち出し式」がある。確実な方法だけど、お金がたくさんかかる。

トイレがあっても、そのまま沢にたれ流しにしている山もあって、環境問題になっている。

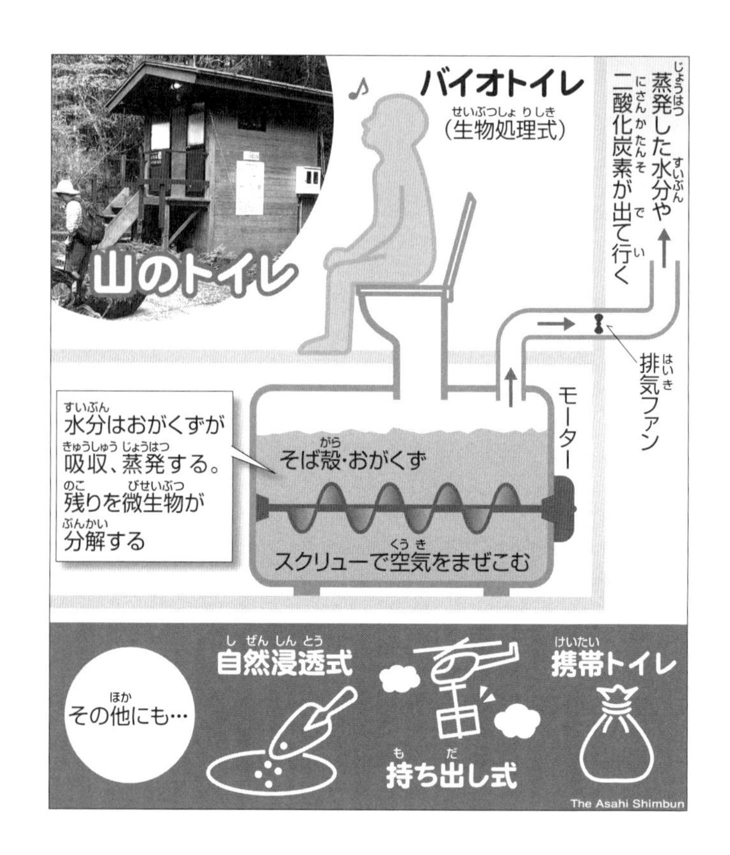

それはよくないね。

トイレのない場所で急に行きたくなったら、沢から離れたところに深さ10～15センチメートルの穴を掘ってうんちをして、またうめ戻す「自然浸透式」という方法もあるよ。

こうしても､土の中の微生物が1週間ほどで分解してくれる。

　ただ注意してほしいのは、水に溶けないティッシュペーパーは決して使わないこと。分解されず、そのまま土の中に残ってしまうから。山の愛好家は、トイレットペーパーをもっていくよ。

うんちをごみのように持ち帰れたらいいのに。

おしっこやうんちを固めてくれる特別なシートをしいた袋を「携帯トイレ」として使う山もあるね。

　北海道の利尻山や岩手県の早池峰山などは、途中に携帯トイレ用の小部屋があったり、山を下りたら使った袋を回収してくれる箱もあるんだって。

山には気持ちよく登りたいから、トイレも自然にやさしくしたいよね。

（取材協力＝上幸雄・日本トイレ研究所代表理事、構成＝桜井林太郎）

信号機の「赤」は、なぜ一番右にあるの？

奈良県・青柿奈巳子さんからの質問

A 運転席から見えやすい位置だから

ののちゃん　車に乗っていて信号が赤から青に変わったときに、「進めー」っていったら、お父さんに「ちがうよ」っていわれちゃった。

藤原先生　青は「進め」ではなく「進むことができる」の意味よ。

じゃ、赤は「止まることができる」なの？

赤はちがうよ。自動車は停止位置を越えて「進んではいけない」し、歩いている人は「横断してはいけない」なの。

赤のほうが厳しい感じだね。

自動車や人がたくさん通る交差点で、勝手に通ろうとしたら危険だよね。

信号機の役割は、ちがう方向への通行を時間で区切って安全に通すこと。止まるための赤信号は、安全のために重要ね。赤が重要というのは、色の並び順にも表れているの。

そういえば赤色は一番右だね。どうして？

車は左側通行で、信号機は進行方向の左側に設置されているでしょ。日本では一般的に自動車の運転席は右側ね。運転していて一番見えやすい位置は右側なので、赤が一番右よ。

それに、車線が複数ある場所では右側の車線の車も、信号機の一番右が見えやすい。街路樹がしげって信号機にかかっちゃっても、一番右は隠れにくいしね。

どの信号機もそう？

そうよ。道路交通法の施行令で、右から赤色、黄色、青色、縦に並んでいる場合は上から赤色、黄色、青色と決まっている。

縦は、なぜ赤が一番上？

前に背丈の高いトラックが走っていても、赤が上なら後ろの車にも隠れにくいから。ちなみに、縦型は雪国で使われていて、信号機に積もる雪を少なくするためよ。

Q. 信号機、赤色が一番右なのはなぜ?

A. 「進んではいけない」赤。一番見えやすい右に

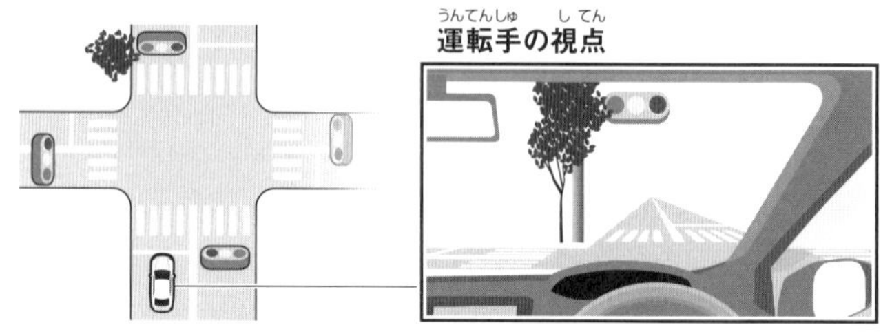

Q. 雪国で使われる縦型の場合、赤色が一番上なのはなぜ?

A. 前に背丈の高い車があっても一番上なら見えやすい

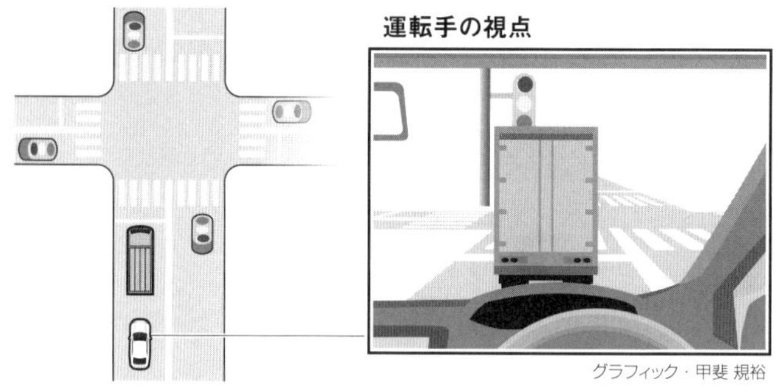

グラフィック・甲斐 規裕

色の並び順以外にも、信号機は交通をスムーズにする工夫があるわ。

信号機がたくさんある市街地も、混乱なく色が変わるよね。

信号機のあるところにはマイクロコンピューターが入っている四角い制御機があって、色を変えている。

設定されたとおりの時間で繰り返し色が変わる簡単なものもあれば、交差点がたくさん続いているような道路では、一つひとつではなくてまとまった信号機群で運用するような複雑なしくみもあるの。

車の量で、色を変えたりするの？

とても広くて交通量が多い道路は、各都道府県にある交通管制センターでいつも交通量を見て、交通量に応じて色の時間を変えるの。

へー。

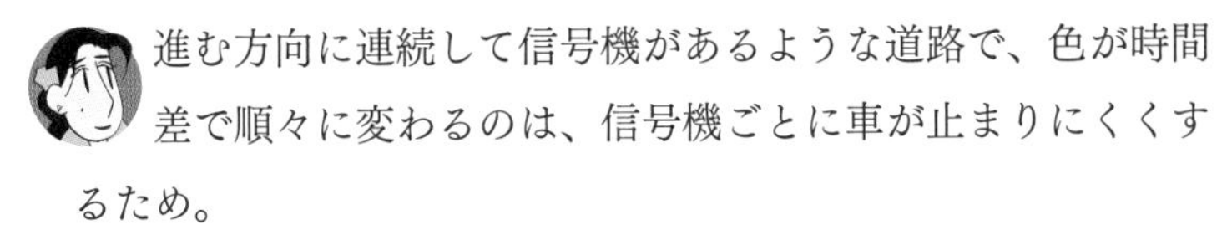
進む方向に連続して信号機があるような道路で、色が時間差で順々に変わるのは、信号機ごとに車が止まりにくくするため。

青信号を、決められた速度くらいで通れば、その先の信号もちょうど青のタイミングで通りやすいように、色が変わるようになっているよ。

（取材協力＝岩崎茂久・日本信号、構成＝神田明美）

Q35 鉄の船は重いのに、どうして沈まないの？

千葉県・渕野翔平さんほかからの質問

A 重力と浮力が等しい状態だから

ののちゃん　海の上の遠くのタンカーは小さく見えるけど、すごく大きいんだね。

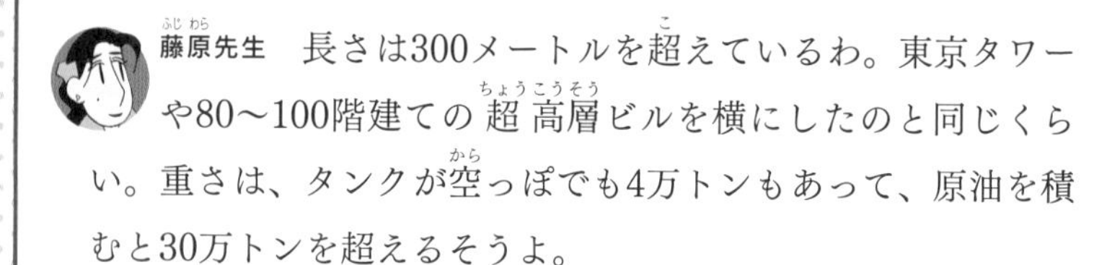

藤原先生　長さは300メートルを超えているわ。東京タワーや80～100階建ての超高層ビルを横にしたのと同じくらい。重さは、タンクが空っぽでも4万トンもあって、原油を積むと30万トンを超えるそうよ。

うひゃー、よく沈まないね。

タンカーと同じ大きさの鉄の塊だったら沈んでしまうね。でも、タンカーは鉄板でできていて、中が空洞になっている。見た目の大きさの割には軽いといえるよ。

原油を積んだら空洞じゃなくなるし、30万トンってすごく重いよ。

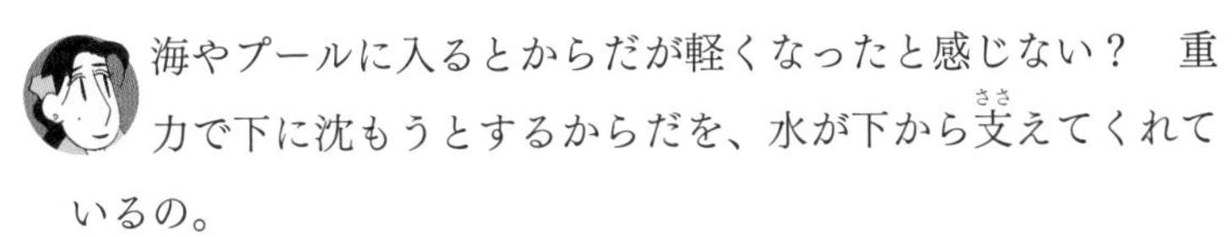

海やプールに入るとからだが軽くなったと感じない？　重力で下に沈もうとするからだを、水が下から支えてくれているの。

この力を「浮力」というのよ。鉄でできた重いタンカーが沈まないのは、大きな浮力がはたらいているおかげなの。

なんだか想像できないなあ。もう少し、浮力のしくみを教えて。

水に浮かんでいる船には、水面より上に出た部分と下に沈んだ部分があるのはわかるよね。水面より下の部分が押しのけた水と同じ重さだけ、下から上に船をもち上げる浮力がはたらくの。

これを「アルキメデスの原理」というのよ。浮力の大きさと船の重さ（船にかかる重力）が等しい状態になると、浮いていられるんだ。

荷物や油やお客さんをのせたら？

重くなると、さらに船が沈んで押しのける水が増えるから、その分、浮力も大きくなって浮いていられるの。ただ、積みすぎて船の重さが浮力を上回ると沈んでしまうの。

タイタニック号も、そうして沈んだの？

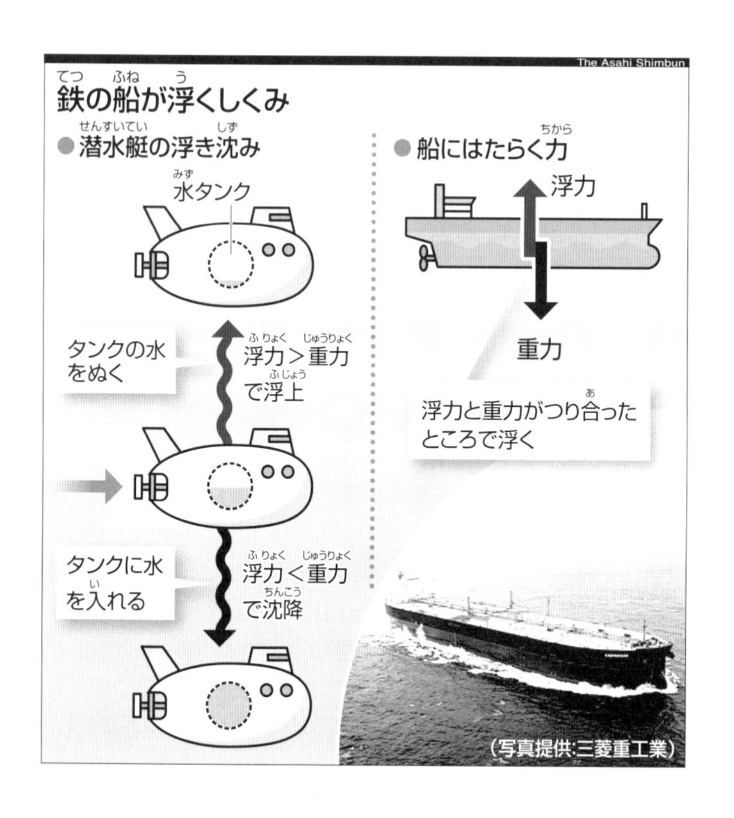

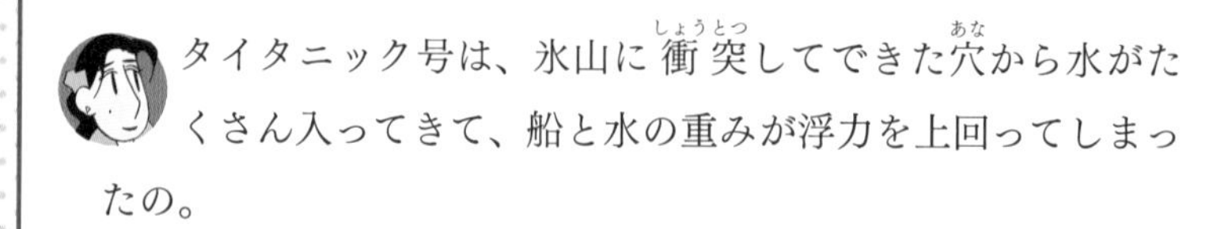

タイタニック号は、氷山に衝突してできた穴から水がたくさん入ってきて、船と水の重みが浮力を上回ってしまったの。

穴があいただけで沈むなんてこわいね。

客船は、穴があいても大量の水が船ぜんぶに入らないよう、船内にしきりを設けておくことが、いまは定められているの。

タンカーの場合、もともと油でタンクをいっぱいにしても沈まない構造（こうぞう）になっていて、浸水（しんすい）しても沈みにくいけれど、逆（ぎゃく）に、油が流れでると海を汚すから、同じようにしきりがたくさんあるのよ。

じゃあ、潜水艦（せんすいかん）はどうやって潜（もぐ）るの？

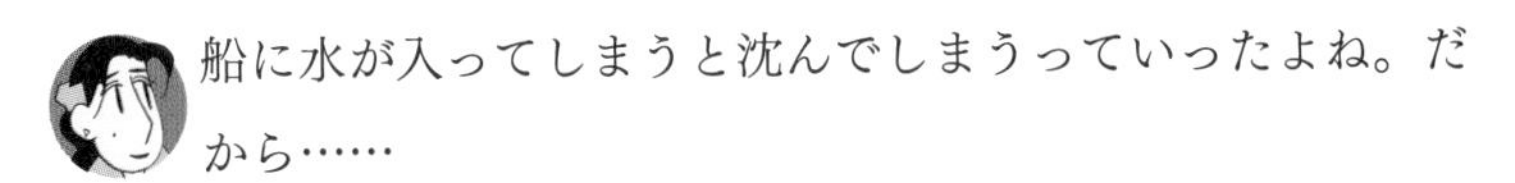

船に水が入ってしまうと沈んでしまうっていったよね。だから……

わざと水を積むのかな？

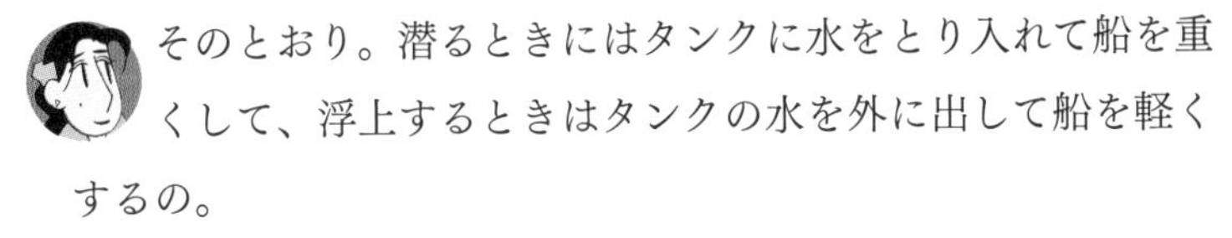

そのとおり。潜るときにはタンクに水をとり入れて船を重くして、浮上するときはタンクの水を外に出して船を軽くするの。

すごく深いところまで潜る日本の潜水艇「しんかい6500」も、重りは使うけど、基本的には同じようなしくみよ。

意外にシンプルなんだね。

（取材協力＝末岡英利・東京大学客員教授、構成＝竹石涼子）

Q36 うめ立て地は、どうやってつくるの？

神奈川県・牧田彩花さんからの質問

ごみを灰にして積んでいるよ

ののちゃん　日本には、むかしから人の手でうめ立てた土地があるって聞いたんだけれど、本当なの？

藤原先生　うん。古いものとしては、平安時代の末期に平清盛が現在の神戸港で行った工事が有名ね。

東京湾では、徳川家康が江戸に入ったころから始められたそうよ。いまの日本橋や日比谷あたりは江戸時代にできたんだって。日本は海に囲まれ、平地も少ないからね。

そんなにむかしから？　いまもうめ立てはされているの？

国土地理院によると、日本の面積（2023年10月時点）は37万7974平方キロメートルだけれど、この45年間で224平方キロメートルも増えたそうよ。これは、ほぼうめ立てによるものなんだって。

東京都によると、東京湾では1906年から2008年までに、

58.6平方キロメートルがうめ立てられたの。東京23区の面積の9％に相当するそうよ。

どうやってうめ立てるの？

日本埋立浚渫協会によると、まずは「地盤改良」といって、海の底をかたくするの。海の底は水を含んだ土の層が横たわり、重いものをのせると沈んでしまう。

そこにセメントを混ぜて土を強くするんだ。次に「護岸」という囲いを石やコンクリートでつくり、その中に土砂を入れていくそうだよ。

うめ立てにごみを使っているともいうよね。

そう。土砂以外にも関東大震災など災害で出たがれきも使われたけれど、ごみも江戸時代から使われているの。この20年ほどの東京湾でのうめ立てはほとんどがごみによるものなんだって。

現在も23区内の家や会社などから出たごみがうめ立てられているんだよ。

そのままうめているの？

海でのうめ立て地のつくり方
（鹿島建設(株)の資料から）

①地盤改良

②護岸をつくる

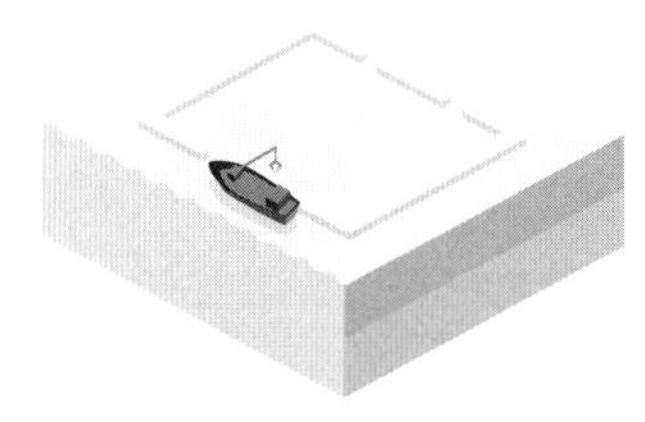

③海水を抜き、内部に土砂を投入

ごみを使ったうめ立て方（サンドイッチ工法）
（東京都の資料から）

①更地にごみを積み、土をかぶせる

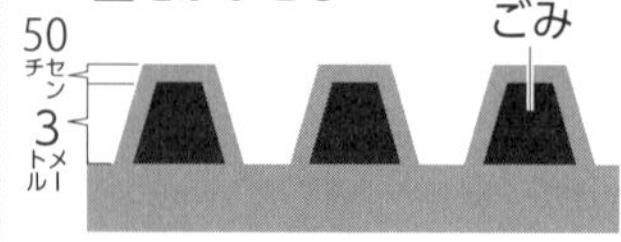

②谷にごみをうめて土をかぶせる

③積み重ねていく

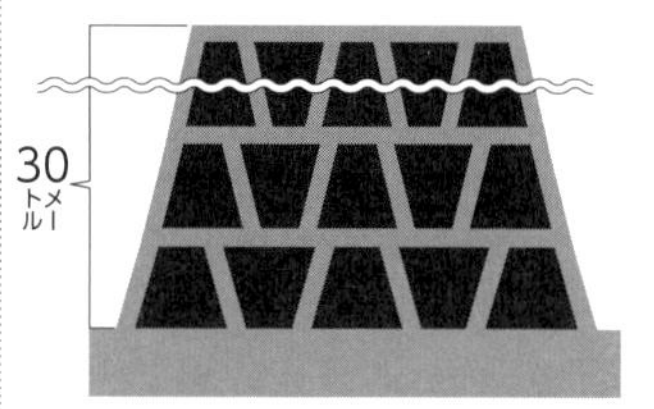

かつては生ごみをそのままうめ立てていたけれど、ハエやネズミが大量に発生するなど社会問題にもなったので、1970年代から「サンドイッチ工法」というらめ立てがされるようになったの。

燃えるごみ（可燃ごみ）は、近くの清掃工場で燃やして灰にして、かさを20分の1に減らすんだって。燃やさないごみ

(不燃ごみ) や粗大ごみも細かく砕いてうめ立てる。そこに混ざっている鉄やアルミニウムなどは資源として回収し、再生品で使うそうだよ。

風で散らばったり、においがしたりはしないのかな。

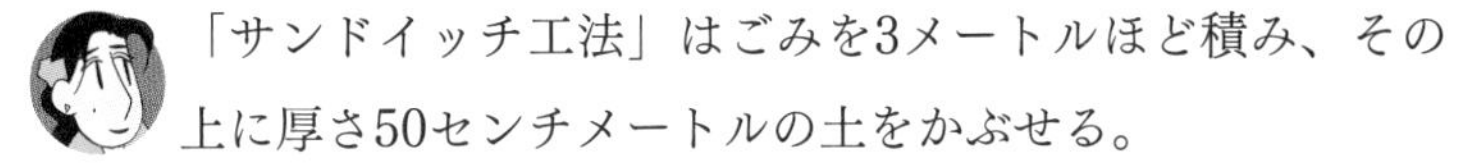

「サンドイッチ工法」はごみを3メートルほど積み、その上に厚さ50センチメートルの土をかぶせる。

次に、谷にごみをうめていく。それを繰り返して高さ30メートルまでしていくんだって。風での散らばりやにおいを防ぐほか、害虫や火災の発生も防ぐんだって。

年間どのくらいのごみがうめ立てられているの？

東京湾では1972年度のピーク時には約350万トンもあったけれど、リサイクルが進み、2022年度は約31万トンまで減ったんだって。

現在のうめ立てはあと50年以上は大丈夫そうだけれど、もう東京湾には新たにうめ立てるところがないんだって。ごみの減量やリサイクルを進め、一日でも長く使い続けていく必要があるよね。

(取材協力＝久保田庄三・東京都埋立調整担当課課長、構成＝石塚広志)

Q37 大きなクレーンを、ビルの上にどうやって上げるの？

福岡県・大田圭吾さんからの質問

支柱を尺とり虫みたいに昇ったよ

ののちゃん　うちの近くで高層マンションの建設が進んでるの。そのてっぺんに大きなクレーンがあるんだよ。

藤原先生　タワークレーンね。

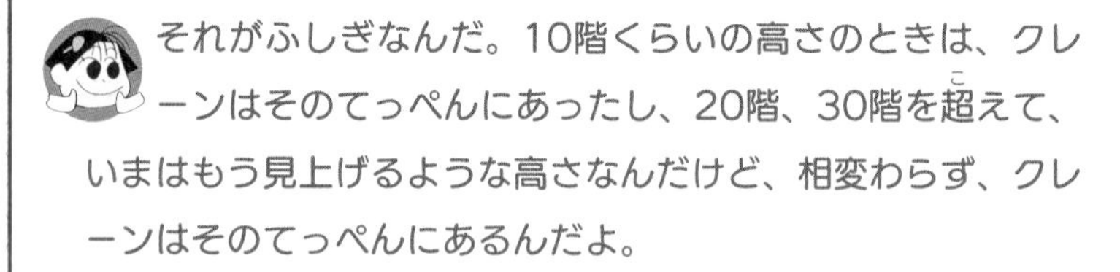

それがふしぎなんだ。10階くらいの高さのときは、クレーンはそのてっぺんにあったし、20階、30階を超えて、いまはもう見上げるような高さなんだけど、相変わらず、クレーンはそのてっぺんにあるんだよ。

ビルの完成が近づくころには、最上階の屋上にいるはずね。クレーンは地上からそこまで昇っていくのよ。

昇っていく？

あのクレーンは、クレーンを下から支えている支柱を、自分でよじ登っていくの。

へえ～。でも、支柱の一番てっぺんまで昇っちゃったら、それ以上は昇れないじゃない。工事が始まったころは、そんな高い支柱はなかったよ。

そこに工夫があるの。いま支柱の台が1階の床の、横木のように渡された鉄筋コンクリートなどの「梁」に固定され、支柱の高さはビルの4階の上まであるとしましょう。

そのときクレーンは備えつけの油圧シリンダーという装置の力で支柱のてっぺんまで昇り、4階までの工事を進めるの。

それから？

そこまでの工事がすんだら、油圧シリンダーで支柱を引っ張り上げて、こんどは3階の床の梁に台を固定する。

すると支柱の先は6階の上まで届くから、クレーンは油圧シリンダーでそこまで昇るわけ。

そして6階までの工事をすませたら、また支柱を引っ張り上げて……と繰り返すの。

支柱を昇って、その支柱を引っ張り上げ、さらに上に昇って、また支柱を引っ張り上げ……天まで届いちゃうね。

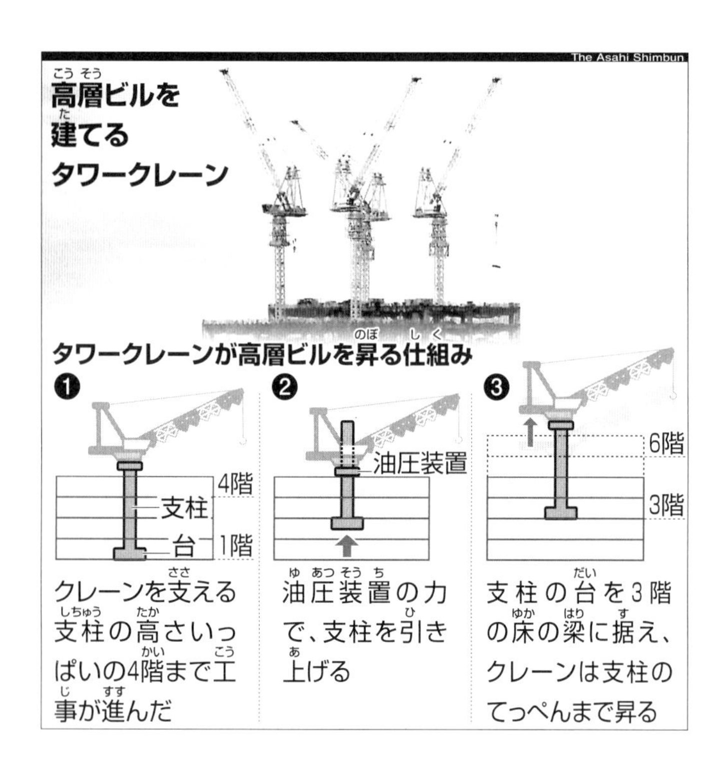
The Asahi Shimbun

高層ビルを建てるタワークレーン

タワークレーンが高層ビルを昇る仕組み

❶
4階
支柱
台
1階
クレーンを支える支柱の高さいっぱいの4階まで工事が進んだ

❷
油圧装置
油圧装置の力で、支柱を引き上げる

❸
6階
3階
支柱の台を3階の床の梁に据え、クレーンは支柱のてっぺんまで昇る

これは「尺とり虫方式」と呼ばれているそうよ。

アハハ。ところで最上階の屋上まで昇ったクレーンは、工事が終わったあと、どうやって降ろすの？

ビルにはもう床も天井も張られちゃって、クレーンが引き返すルートがないよ。

大丈夫。まず屋上に残った大きなクレーンで、それより「少し小さい」クレーンを屋上までつり上げるの。そして大きなクレーンを分解して、少し小さいクレーンのほうで下に降ろすのよ。

屋上に残った少し小さいクレーンはどうするの？

そのクレーンで「もっと小さい」クレーンを屋上につり上げ、こんどは少し小さいクレーンを分解して地上に降ろすのよ。

　これを3回ほど繰り返し、最後に残った一番小さいクレーンは分解して、人がエレベーターに乗せて地上にもってくるの。「親ガメ・子ガメ方式」というそうよ。

（取材協力＝岡崎直人・竹中工務店生産本部、構成＝武居克明）

Q38 偏差値って、どういうものなの？

東京都・釜本実優さんからの質問

自分が全体の何番目くらいかを示す値

ののちゃん　わーん。この前のテスト、むずかしくて65点だったの。

藤原先生　同じ100点満点のテストでも、むずかしければみんな点数が悪いし、やさしければいい点がとれるよ。で、平均点は？

47点。

なーんだ。だったら悪くないじゃない。ところで、問題がむずかしくても簡単でも、だいたい何番目くらいの成績かがわかる「偏差値」って知ってる？

聞いたことある。

たくさんの人が受けたテストの結果を点数ごとの人数でグラフにすると、ふつうは「正規分布」というなめらかな山の形になると考えられているの。

でも、テストが簡単だと山の頂上が点の高いほうに、むずかしければ低いほうに、かたよっちゃうし、平均点が同じでも、山がとんがっていたり、ゆるやかだったりすることもある。

つまり点数だけでは、実力がよくわからないんだ。

そこで偏差値の登場よ。どんなテストの結果でもグラフが標準的な同じ山の形になるように、点数を調整してやるの。

どう調整するの。

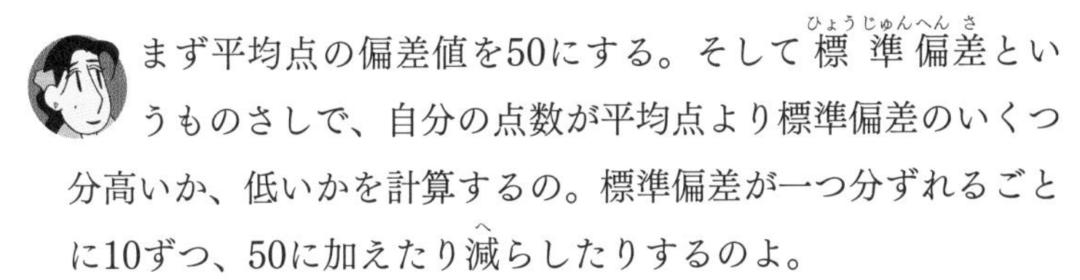

まず平均点の偏差値を50にする。そして標準偏差というものさしで、自分の点数が平均点より標準偏差のいくつ分高いか、低いかを計算するの。標準偏差が一つ分ずれるごとに10ずつ、50に加えたり減らしたりするのよ。

標準偏差って？

簡単にいえば、山のすそ野がだいたいどのくらい遠くまで広がっているかを示す値。

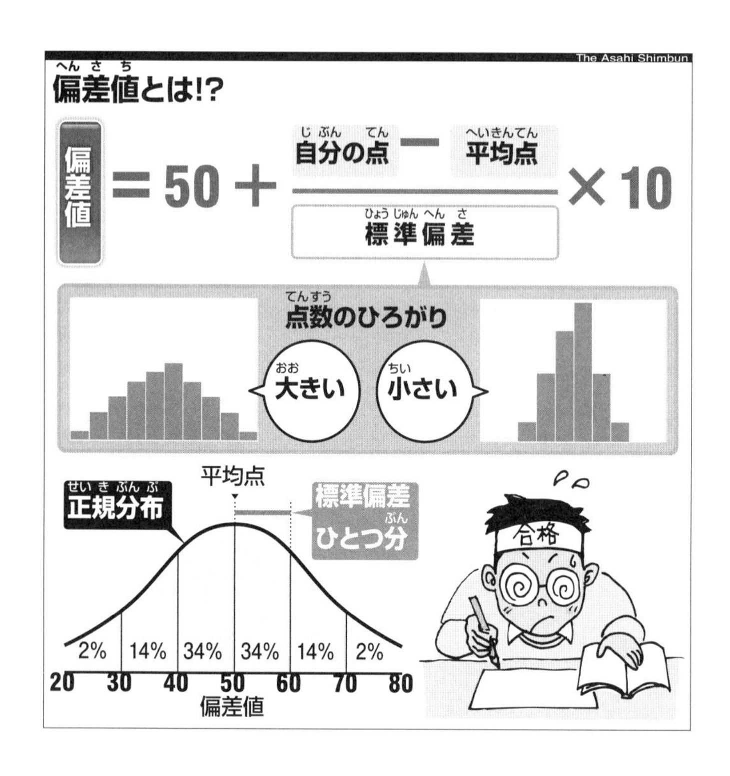

テストの結果が0点から100点まで広く分布していれば標準偏差は大きいし、平均点のまわりに集中していれば小さくなるわ。

わたしの偏差値も計算できるの。

かりにテストの標準偏差が15点だったとしましょう。ののちゃんの65点は平均点より18点高い。これは、18割る15で標準偏差の1.2個分ね。標準偏差1個で偏差値は10ずれるから、1.2個分だと12。だから50足す12で、ののちゃんの偏差値は62！

ふーん。で、それだと成績は何番目くらい？

成績全体が正規分布をしているとすると、偏差値60以上は上位の約16％に入る計算になるのよ。偏差値62なら100人のうちの十何番目かのあたり。けっこう自信をもっていいかもね。

やったー！

でも、偏差値が学力を序列化しているという批判も少なくない。テストの結果が二つの山に分かれる形になることもあるから、正規分布を前提にした偏差値では成績が正しく表せないという意見もあるの。

偏差値の気にしすぎはよくないけれど、正しく理解して使えば参考になることも多いかもね。

（取材協力＝小島寛之・帝京大学准教授、構成＝松井潤）

Q39 バーコードのしくみって、どうなっているの？

大阪府・宇田和紗さんほかからの質問

A 商品情報を光で読みとるの

ののちゃん　レジでお店の人を見ていて気づいたんだけど、機械に商品を当てるだけで値段がわかるなんて便利だね。

藤原先生　それは、商品に印刷されているバーコードという黒と白のしましま模様のおかげよ。

どれも同じ模様に見えるけどなあ。

黒と白の棒の並び方がちがうのよ。日本で食品や衣服といった日用品によく使われているのはＪＡＮというタイプで、8ケタか13ケタの数字を表しているの。バーコードのすぐ下に数字が書いてあるでしょう。

黒と白の棒の幅や一つの数字を何本の棒で表すかなどのちがいで、世界中にいろんなタイプがあるの。記号やアルファベットを表すのもあるわ。

数字だったら、値段を表しているんだね。

それがちがうのよ。

13ケタのＪＡＮを例に説明すると、まず黒棒2本、白棒2本で一つの数字を表すの。それで最初の2ケタの数字は国を示していて、日本なら45か49。

次の5ケタが商品の発売元や製造元など企業を区別する番号で、その次の5ケタが商品を区別する番号。国番号が45のときは、企業が7ケタ、商品が3ケタの場合もあるわ。

レジでこれらを読み取り、コンピューターに瞬時に伝えて、商品の値段を教えてもらっているわけ。最後の1ケタは、その前の12ケタが正しいかどうかをチェックするのに使うのよ。

どう読み取るの？

光を当てて、その反射光を計測するのよ。

黒棒より白棒からの反射光のほうが強いことを利用しているわ。コンビニなどで使われている読み取り装置はバーコードに正確に光を当てないといけないけれど、スーパーなどで見かける大型の装置はバーコードにいろいろな方向から光を当てて、反射光を合成するので、バーコードの向きをあまり意識せずに、ぱっとかざすだけで読み取れるのよ。

※QRコードは、デンソーウェーブの登録商標。

四角くてモザイクみたいな模様を、携帯電話（けいたいでんわ）で読みとることもあるけれど、あれもバーコードの仲間なの？

漢字（かんじ）やひらがなも表せる「二次元コード（二次元シンボル）」ね。QR（キューアール）コードが有名よ。インターネットのウェブサイトや航空券などに使われているわ。

黒と白の小さな正方形が縦横に敷き詰めてあって、8個の正方形で一つの情報を表しているの。漢字（かんじ）なら最大1817文字、数字なら最大7089ケタも表せるんだって。

すごい！

（取材協力＝佐藤光昭・日本自動認識システム協会主任研究員、高井弘光・デンソーウェーブ次長、構成＝田中康晴）

Q40 放射線を見えるようにする方法って、あるの？

福島県・今野聡子さんからの質問

「霧箱」なら、飛行機雲みたいな線になるよ

ののちゃん　地球には、隕石みたいにたくさんの放射線が降り注いでいるって聞いたけど、本当？

藤原先生　そうよ。宇宙のはるか遠くから飛んでくるので、宇宙線って呼ばれるわ。地球に達すると、空気にぶつかって別の放射線をたくさんつくりだしながら、地上に届く。手のひらぐらいの面積で1秒あたり1個ほどが降り注いでいるよ。

宇宙のどこからくるの？

寿命を迎えて爆発した星や、太陽からたくさん放出されている。宇宙からだけでなく、地球上の岩石や空気中に浮かぶ元素からも放射線は出ているよ。

正体は、アルファ線（ヘリウム原子核）やベータ線（電子）という小さな粒子などで、私たちのからだや身のまわりのものをつくっている部品でもあるの。

へえ、見てみたいな。

小さすぎて肉眼では見られないわ。でも、この「霧箱」という装置を使ってみて。上からのぞくと時々、すーっと白い筋が出るでしょ。これはアルコールの霧で、なんと放射線の粒子が通った跡なのよ。

えーっ、これが!?

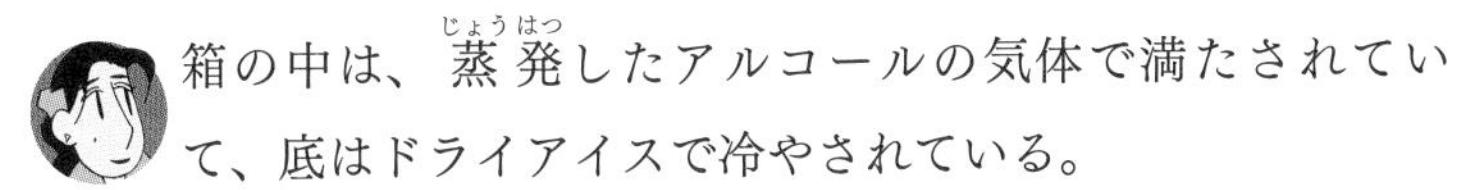

箱の中は、蒸発したアルコールの気体で満たされていて、底はドライアイスで冷やされている。

だから上のほうは温かいけど、底の近くは温度が低いので、アルコールの気体は液体へ戻ろうとしていて、霧粒になりやすい不安定な状態になっているの。

そこに放射線が通ると、次々と液体の霧粒になっていくのよ。

いったい、何が起きているの？

放射線が空気中を通るとき、通り道にいる空気の分子に次々にぶつかるの。その衝撃で、分子はもっている電子を吹き飛ばされ、イオンになる。

すると、そのイオンを核にしてアルコールの気体がいっせいに集まって霧粒ができあがる、というしくみだよ。飛行機雲と同じ原理ね。

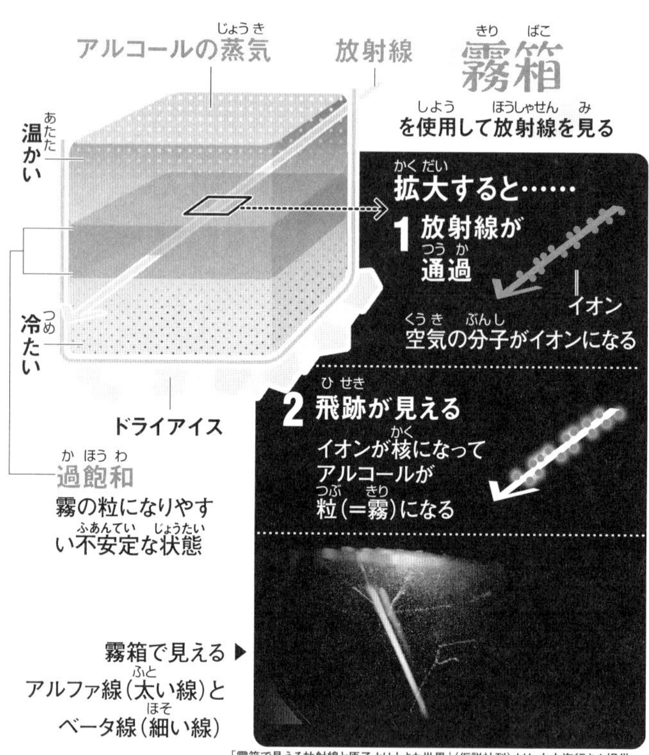

「霧箱で見える放射線と原子より小さな世界」(仮説社刊)より、山本海行さん提供

霧は太さが違うけれど……。

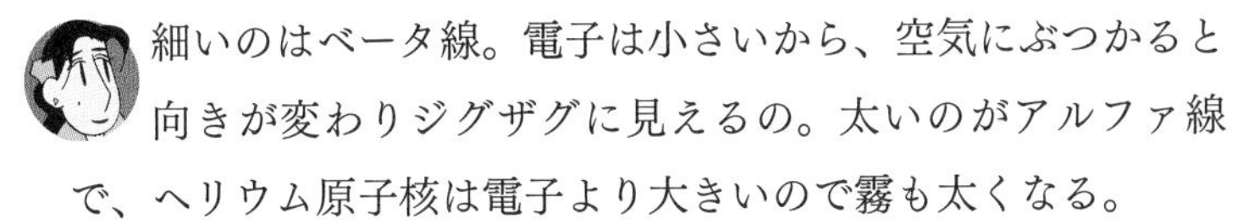

細いのはベータ線。電子は小さいから、空気にぶつかると向きが変わりジグザグに見えるの。太いのがアルファ線で、ヘリウム原子核は電子より大きいので霧も太くなる。

一方、光の仲間であるX線やガンマ線も放射線と呼ばれるけれど、見えにくいわ。霧箱がつくられたのは1911年で、イギリスの物理学者チャールズ・ウィルソンが山で見た美しい霧や雲を実験室で再現しようと始めた研究がきっかけだったよ。

すごい発明だね。

霧箱は、ミクロな粒子を探る研究に欠かせない装置だった。

たとえば磁石を近づけると、電気をもった粒子は力を受けて曲がる。曲がり方のちがいを調べることで、宇宙線の中から陽電子やミュー粒子、K中間子といった新粒子が次々と発見されたんだ。発明したウィルソンは27年にノーベル賞を受賞したよ。

（取材協力＝若林文高・国立科学博物館・理工学研究部長、構成＝石倉徹也）

Q41 インフルエンザのワクチンは、どうやってつくるの？

広島県・神田彩羽さんからの質問

有精卵で増やしたウイルスが原料

ののちゃん　インフルエンザが大流行しているね。風邪とは違うの？

藤原先生　風邪の多くは、のどの痛みやくしゃみ、鼻水や鼻づまりが主な症状だけど、インフルエンザはもっと激しくて、38度を超すような高熱がでたり、頭痛や関節痛が全身にでたりして、からだの調子が急速に悪くなるわ。

肺炎や脳炎といった重い病気を引き起こす恐れもあるのよ。

かからないためには？

病気の原因は、虫眼鏡でも見えないくらい小さなウイルス。外から帰宅したらせっけんで手を洗ってウイルスを落としたり、空気が乾きすぎないように加湿器などを使ったりすれば効果があるよ。

しっかりした睡眠と栄養をとることも大切ね。インフルエンザが流行する前なら、ワクチンを接種することも有効とされているのよ。

ワクチンって何？

人のからだには、ウイルスなどの異物が入ってくると、抵抗する力が生みだされるしくみがあるの。この防御システムのことを「免疫」と呼ぶわ。

　そこで、実際に病気にならなくてもこの免疫ができるように、病原性をなくしたり十分に弱めたりしたウイルスを使って薬をつくり、わざとからだの中に注射して入れるのね。この薬がワクチンよ。

どうやってつくるのかな。

インフルエンザのワクチンの場合、日本では主にニワトリの卵を使うわ。ウイルスは、生きているものにくっつかないと増えないから、ヒヨコに成長できる「有精卵」という卵を使って増やすのよ。

　工場にたくさんの有精卵を集めて、ほこりや汚れをきれいに落とし、小さな穴をあけてウイルスを注入するの。

卵と一緒にウイルスを育てるのかな。

インフルエンザワクチンの作り方

1 有精卵の受け入れ

2 ウイルスを接種

3 ウイルス培養

4 培養液を採取

5 精製・濃縮

6 検査後に出荷

グラフィック・前川 明子

そうよ。卵を温めてウイルスを増やしたら、中から液体を抜き取ってウイルスをとりだし、病原性をなくしてワクチンになる部分だけにしていくの。ワクチンは、その年に流行しそうな4タイプをつくり、混ぜ合わせて使うわ。

インフルエンザには、種類があるのかな？

そうよ。大きくA型とB型があって、それぞれがさらに細かく分かれるわ。

だから、どのタイプが流行しそうか、国の研究所があらかじめ予想するの。できたワクチンの品質も研究所が検査して、合格したものだけが病院などに出荷されるよ。

たくさんの手間と時間がかかっているんだね。

（取材協力＝摩尼千香子・第一三共コーポレートコミュニケーション部、構成＝伊藤隆太郎）

Q42 温暖化が止まる？　核融合発電のしくみを教えて！

福岡県・影浦陽治さんからの質問

A 太陽がエネルギーを生む反応と、同じしくみ

ののちゃん　今日も暑い～。太陽がギラギラ燃えているよ。

藤原先生　水分をとって、熱中症に気をつけないと。じつは、太陽って燃えているわけじゃないんだよ。ものが燃えるには酸素が必要だけれど、宇宙にはないでしょ。

確かに！　じゃあなんで光っているの？

核融合反応が起きているの。原子核どうしがくっついて別の原子核に変わることだよ。

核融合？　原子核？

ものを細かくしていくと、原子という小さな粒にたどりつくの。中心に原子核があって、そのまわりを電子が回っているよ。

普通は原子核どうしはくっつかないけれど、太陽は中心部が1600万度で、密度は水の160倍も高い。

だから、原子核と電子が自由に動く「プラズマ」という状態になって、水素の原子核四つがくっついて、ヘリウムに変わるの。

それで？

核融合が起きると、前より全体の重さは軽くなって、その分がエネルギーに変わるの。

物理学者のアインシュタインが導いた有名な式が$E=mc^2$。エネルギー（E）はものの重さ（m）と光の速度（c）の2乗との積に相当するという意味で、わずかに軽くなるだけで、大きなエネルギーを生み出すってことだね。

もし地球にミニ太陽がつくれれば、何かに使えそうだね。

いいところに気づいたね。地球で核融合を起こして発電しようという研究が世界各国で進んでいるの。

反応が起きやすいように、水素の仲間の重水素と三重水素を使うわ。燃料1グラムで、石油約8トンを燃やしたときと同じエネルギーを生み出せるとされているよ。

重水素は海水からとれて、三重水素はリチウムという金属から炉内でつくれると考えられているの。

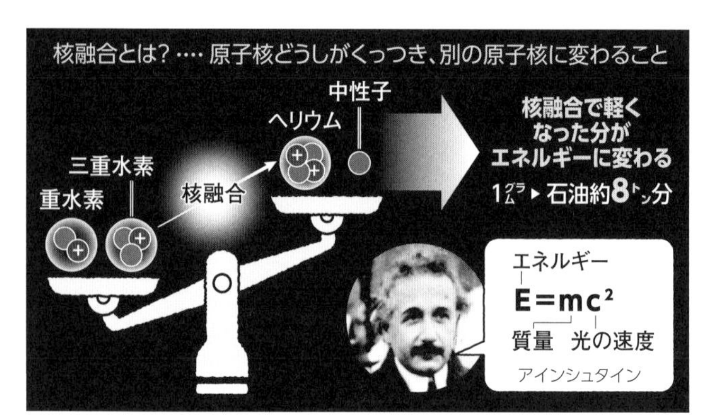

核融合発電のイメージ(トカマク型)
量子科学技術研究開発機構(QST)の資料などから

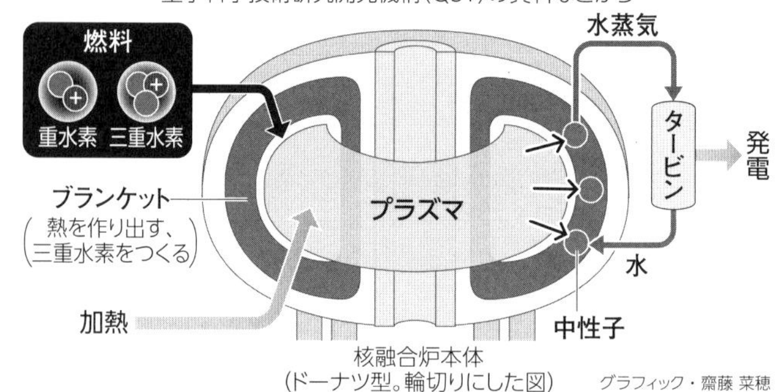

どうやって発電するの?

核融合でできた中性子がブランケットという装置(そうち)にあたると、熱を出す。その熱で水を暖め、水蒸気(すいじょうき)でタービンを回して発電するよ。

大変なのは、ただ重水素と三重水素を置いておくだけでは、反発してくっつかないから、数億度以上に加熱しないといけないこと。

数億度！　あつあつだ。

原子核が飛び散らないように閉じ込める必要もある。トカマク型などの電磁石の力で閉じ込めるタイプと、強いレーザーでぎゅっと圧縮するタイプの、二つが研究されているよ。

実現できるのかな？

実用化には、安定して核融合を続けられないといけないし、中性子などに強い材料の開発も必要でハードルは高いよ。

日本は2050年ごろまでに、「原型炉」を動かして実際に発電できるか実証することをめざしているよ。

（取材協力＝大山直幸・量子科学技術研究開発機構量子エネルギー部門研究企画部長、構成＝佐々木凌）

ののちゃんと藤原先生④

朝日新聞 1997年07月10日(木)

第５章

宇宙（うちゅう）と地球の

43 宇宙の果ては、どうなっているの？

神奈川県・古閑陽一さんほかからの質問

A 約470億光年先まで観測できる。その先は……

ののちゃん　この前、宇宙飛行士が国際宇宙ステーションでぷかぷか浮いている映像を見たよ。

藤原先生　それは楽しそう。宇宙飛行士になってみたい？

うん！　広い宇宙を見てみたいな。でも宇宙の果てはどうなってるんだろう。宇宙船でどこまで行っても、果てには着けないのかな？

ついこの間、東京大学の研究チームが「宇宙の果て」の近くに天体を見つけたんだ。これまで観測された最も遠い銀河で、「ＨＤ1」と名づけたよ。地球からの距離は、なんと135億光年。

むむむ。光年って？

光が1年間に進む距離のこと。光は1秒に30万キロメートル、地球7周半分の距離を進む。1光年をもし時速250キロメートルの新幹線で進むとすると400万年以上かかるから、途方もないスケールだね。

ひょえ〜。考えるだけで目が回っちゃう。それにしてもよく見つけたね。

見つけられたのはその星から出発した光が地球に届いたから。光が出発したのは135億年前ということになるね。

たとえば、いま、見えている太陽は、いまの太陽じゃなくて8分前の太陽の姿なんだよ。太陽の光が地球に届くのに約8分かかるから。

そうか。遠くを見るほど、むかしの宇宙のことがわかるんだね。

そう。宇宙が生まれたのは138億年前とされているから、ＨＤ1はその3億年後のうまれたての宇宙のことを知る手がかりになる。

じゃあ、地球から見える範囲だと、138億光年先が宇宙の果てになるのかな？

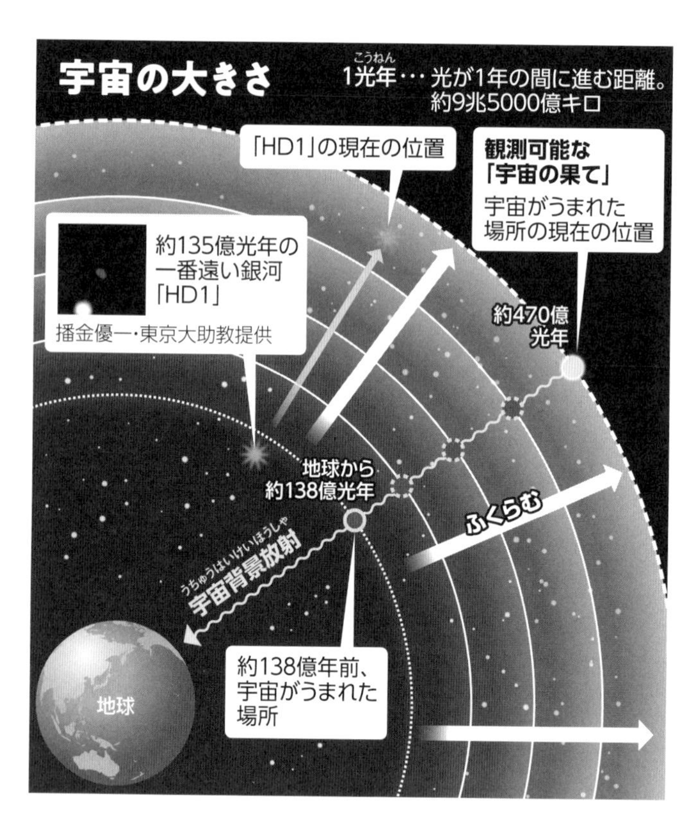

そうともいえないよ。138億年前に光が出発した場所は、じつはいまはもっと遠くにあるんだ。

どういうこと？

宇宙は光よりも速いスピードでふくらみ続けている。出発地点はどんどん遠ざかって、いまは約470億光年先にある

んだ。

だから、観測可能な宇宙の果ては約470億光年ということになるね。

なるほど。

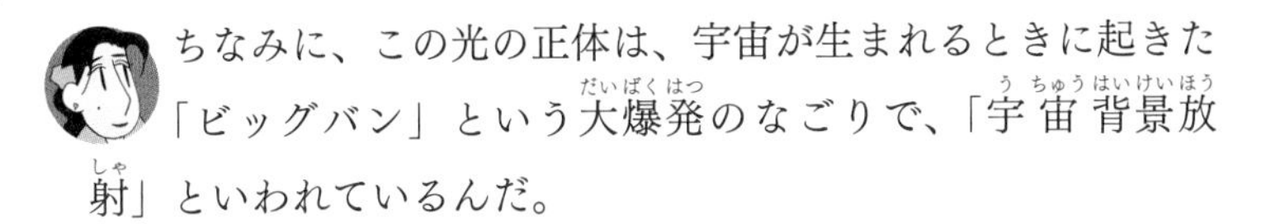
ちなみに、この光の正体は、宇宙が生まれるときに起きた「ビッグバン」という大爆発のなごりで、「宇宙背景放射」といわれているんだ。

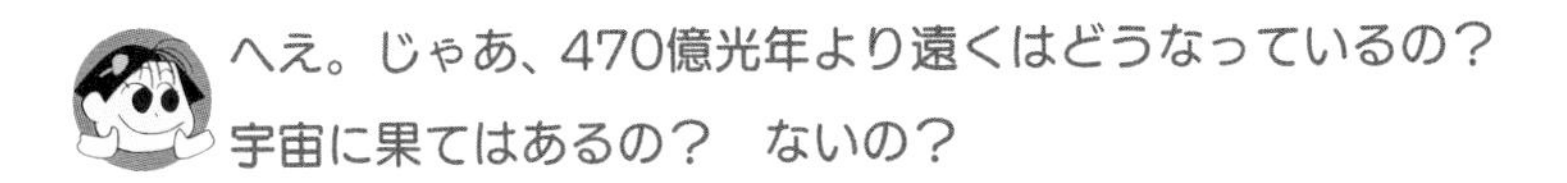
へえ。じゃあ、470億光年より遠くはどうなっているの？　宇宙に果てはあるの？　ないの？

じつは、宇宙がどこまで続いているのかはわかっていないんだよ。有限か無限かは、どちらも可能性があるといわれている。

ただし、仮に有限だとしても、はしっこは存在しないと考えられている。地球上で一つの方向にずっと進むと一周してもとの場所に戻るよね。宇宙でも、進み続けるといつかは戻ってくるかもしれないんだ。

宇宙のことを考えていたらワクワクしてきたよ。もっと勉強して、いつか宇宙飛行士になりたいな～。

（取材協力＝播金優一・東京大学宇宙線研究所助教、構成＝玉木祥子）

Q44 温暖化しているのに、なぜ大雪が降るの？

新潟県・泉 幸恵さんからの質問

A 降雪の条件は、まだ変わっていない

ののちゃん 新潟県に遊びにいった友だちが「大雪だった」っていってた。

藤原先生 冬に大量の積雪がある、豪雪地帯といわれる地域は、日本海側や北海道だものね。

なぜ？

冬は、ユーラシア大陸のシベリア方面から、とても冷たい空気が日本海の上を通って日本列島に流れ込むの。

日本海は対馬暖流が流れていて冬でも海水が温かくて、水蒸気がでている。とても冷たい空気が日本海上空を通るときに、水蒸気が冷やされて積雲が発達し、雪雲ができる。

これが、日本海側に雪を降らすのよ。季節風が高い山にぶつかって上昇すると、雪雲はさらに発達するから、日本海側の山沿いは特に大雪になりやすいの。

あれ？　地球は温暖化しているのに、なぜ大雪が降るの？

人間活動によって地球が温暖化したのは、18世紀後半にイギリスで始まった産業革命以降、化石燃料の使用が急に増えて、二酸化炭素の排出が増加したことが原因とされている。

それ以来、温暖化による世界の平均気温は上昇していて、観測史上最も気温が高い年になった2023年は、産業革命前の水準より約1.4度上回ったよ。

もっと上がったと思っていたよ。

冬は数日で最高気温が10度以上もちがったり、春の陽気の数日後にとても寒い日になったりするでしょ。

でも、温暖化はそうした短い期間の変化ではなく、もっと長期的な気温の傾向のこと。平均気温が産業革命からの二百数十年間で約1.4度上昇し、極端な豪雨や干ばつなどが起こるような影響はでている。

でも、いまの段階で、豪雪地帯はまだ気温が零下になる日が多く、雪が雨になるほどの変化ではない。そして、もともと日本海側には雪雲が発達するしくみがあるでしょ。

雪が降る条件は、そんなに変わっていないんだね。

日本海側で雪が多い理由
気象庁気象研究所・川瀬宏明さんの資料から
シベリア
ユーラシア大陸
日本海
冬の北西季節風
山脈
太平洋
現在
かなり冷たい空気
雪雲が発達
冬の北西季節風
積雲発達
高い山
空っ風
雪
水蒸気
ユーラシア大陸(シベリア)
温かい海
日本海側
山脈
太平洋側
温暖化がより進んだ将来
雪雲がより発達
冷たい空気
積雲が大きく発達
空っ風
雪
水蒸気が増える
雨になる
より温かい海

それに、温暖化で厳しい寒さになることもある、と指摘されている。北極の海氷面積が減ると、寒気と暖気の境になる偏西風が蛇行して、北極の寒気が南下しやすくなることが、わかってきているよ。

温暖化すれば雪が降らないと思っていたけど、そんなに単純じゃないんだね。

将来、もっと温暖化が進んだら、ずいぶん変わりそうよ。気象庁気象研究所がコンピューターを使って研究したら、温暖化を防ぐ対策がないままに2100年ごろに平均気温が3～4度くらい上がるようなことになれば、日本海側の山沿いや北海道で極端な大雪が増える、という予測が出たの。

日本海から大気中にでる水蒸気が増えて雪雲がより発達することなどが理由よ。ただ、海に近い日本海側の平地では、雪よりも雨になることが増えそうだって。

（取材協力＝川瀬宏明・気象庁気象研究所主任研究官、構成＝神田明美）

Q45 線状降水帯になると、どうして大雨が降るの？

千葉県・秋月敏夫さんからの質問

積乱雲が細長く並んだ状態、災害の危険

ののちゃん　テレビで「せんじょうこうすいたい」っていっていたけど、どう書くの？

藤原先生　「線状降水帯」よ。積乱雲が細長く並んで大雨が数時間も続く状態のことをいうの。長いと300キロメートル以上にもなるそうよ。

むかしからあるのかな。

言葉は2000年ごろからね。雨雲レーダーができて大雨の降っている場所が詳しくわかるようになったので、その形から研究者が名づけたの。

「集中豪雨」っていう言葉は70年前から使われているんだけど、雨量計のデータを集めてみると線状降水帯らしいものはむかしからあったみたい。むかしはレーダーがなかったので、わからなかったのね。

何でよく聞くのかな。

災害に直結するからよ。同じ場所で数時間、猛烈な雨が続くと土砂崩れや洪水などの危険性が急激に増すわ。

台風の近くで発生するものを除くと、日本の集中豪雨の3分の2くらいに線状降水帯が関係しているんだって。

「線状」も「帯」も同じような意味なので、変だという人もいるけれど、研究者は災害の危険性を強調したかったそうよ。2017年には新語・流行語大賞にもノミネートされて、一般に知られるようになったの。

日本や東アジアは、まわりが海で湿った空気が下のほうにあるので起きやすいけれど、ほかではあまり見られないみたい。

だから英語でも、「Senjo－Kousuitai」のように表記されるんだって。

ただ、昨年はイタリアで線状降水帯のような大雨があったそうなので、これからはほかの地域でも起きるかもしれないね。

線状降水帯は増えているのかな。

大雨が増えているのは確かね。1時間に80ミリ以上、3時間に150ミリ以上、1日に300ミリ以上の猛烈な雨は、日本では40年前にくらべて2倍くらいになっているの。温暖化の影響だと思うわ。

日本の平均気温は100年で1.3度上がった。気温が1度上がる

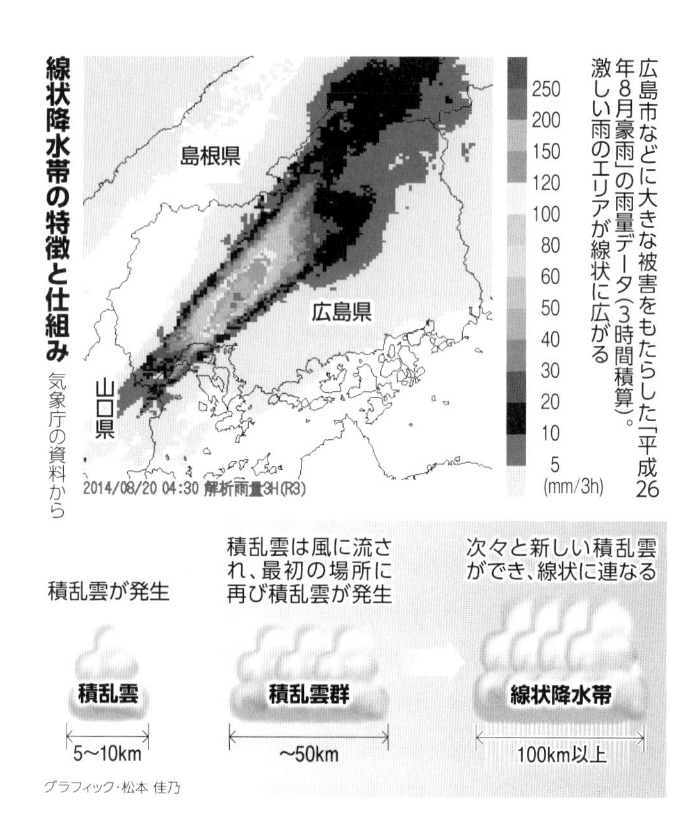
線状降水帯の特徴と仕組み
気象庁の資料から
広島市などに大きな被害をもたらした「平成26年8月豪雨」の雨量データ（3時間積算）。激しい雨のエリアが線状に広がる
島根県
広島県
山口県
2014/08/20 04:30 解析雨量3H(R3)
250
200
150
120
100
80
60
50
40
30
20
10
5
(mm/3h)
積乱雲が発生
積乱雲は風に流され、最初の場所に再び積乱雲が発生
次々と新しい積乱雲ができ、線状に連なる
積乱雲
5〜10km
積乱雲群
〜50km
線状降水帯
100km以上
グラフィック・松本 佳乃

と空気中の水蒸気の量は7%増えるの。その分、一度にまとまって降る雨の量も増えるってわけ。

大雨がいつ降るのか、どのくらい前にわかるのかな。

避難する時間も考えて半日ぐらい前に予測情報を出すことにしているよ。

でも、正確な予測はむずかしくて、いまのところ的中率は4回に1回程度。予測情報を出していないのに線状降水帯が発生してしまう見逃しも3回に2回くらいあるんだって。

研究者は、特に見逃しを減らすように努力をしているそうよ。

はずれてもいいから「せんじょう」って聞いたら、とにかく逃げる準備をしなくちゃね。

線状降水帯だけが大雨を引き起こすわけではないから注意が必要よ。早めに行動してね。

（取材協力＝加藤輝之・気象庁気象研究所台風・災害気象研究部長、構成＝石井徹）

46 世界の森が消滅危機！　地球の酸素はなくならないの？

京都府・大石瑠莉さんほかからの質問

A 少し減っているけれど、大丈夫

ののちゃん　スー、ハー。スー、ハー。山の空気はおいしいね。でも、みんなが息をしていたら地球から酸素がなくなったりしないの？

藤原先生　そうね。まず、酸素がどうやってできたか、前に話したことを思い出してみましょう。

確か植物がつくったような……。

よく覚えていたわね。

　地球ができた45億年前の空気は、ほとんどが二酸化炭素とチッ素でできていて、酸素はなかったの。

　それが遅くとも27億年前に、シアノバクテリアという単細胞生物が出てきて、太陽光のエネルギーを使って、二酸化炭素と水から自分で生きるのに必要な養分をつくって、いらない酸素を吐きだし始めたのよ。

光合成、だね。

そのとおり。光合成をする植物が増えたので、酸素がどんどんたまったの。酸素はいまの空気の約21%をしめているけれど、ほぼすべてが光合成でつくられたの。

人間はどんどん増えているし、ほかにも酸素を吸って生きる生物がたくさんいるよ。

確かに人や動物は、呼吸で酸素を使い二酸化炭素を吐きだしている。

でもその分、植物がまた光合成で二酸化炭素から酸素をつくってくれるの。自然の状態では差し引きゼロでバランスがとれているよ。

そうなのか。

ただし最近は、そのバランスが崩れているの。沖縄の波照間島での調査では、酸素は空気全体から年に0.0004%ずつ少なくなっているよ。

えっ？　どうして。

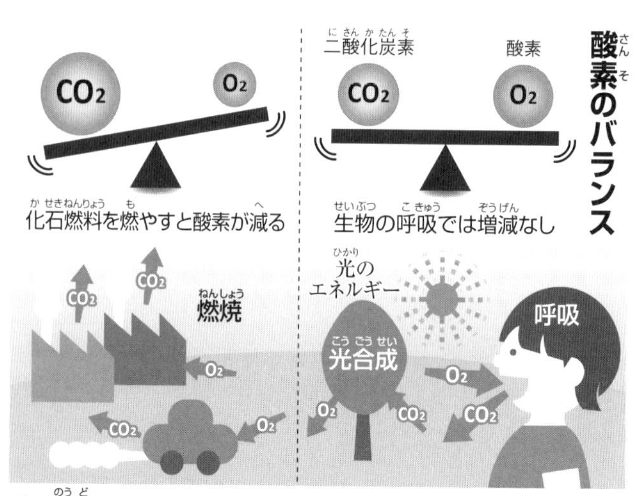

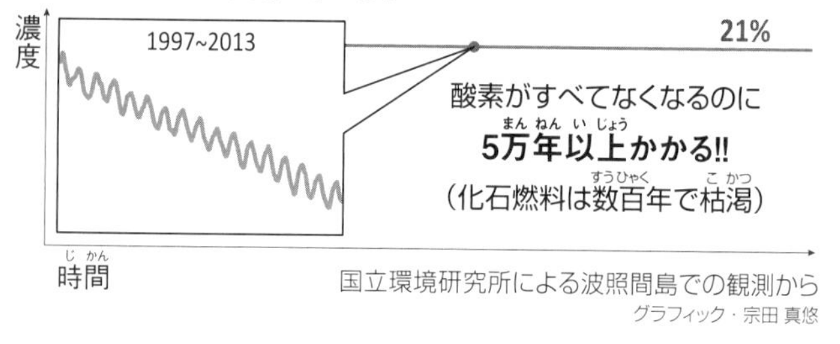

国立環境研究所による波照間島での観測から
グラフィック・宗田 真悠

人が、ものを燃やすから。特に石炭や石油、天然ガスなどの化石燃料を燃やすと、自然のバランス以上に酸素が使われて、光合成では補充されないの。

それじゃ、息ができなくなっちゃうよ！

落ち着いて。酸素は減っているけれど、いまある量にくらべたらほんの少し。この調子で減ったとしても全部なくなるには5万年以上かかる計算よ。

それに、酸素を減らす原因の化石燃料は、多く見積もっても数百年分しかないといわれているよ。

安心した。

心配なのは、化石燃料を燃やしたときに二酸化炭素が増えることよ。

二酸化炭素の濃度は、石炭を大量に使い始めた産業革命までは約0.028％だったけれど、急速に増えて今は0.04％になっているわ。もともと量が少ないから、少し増えるだけで大きな影響がある。

地球温暖化でしょ。

そうよ。地球に届く太陽の熱を蓄えやすくして、温室のように気温を上げる効果がある。

これを止めるには、化石燃料をなるべく使わず、緑を大切にすることが必要ね。

(取材協力＝池内昌彦・東京大学教授、遠嶋康徳・国立環境研究所主席研究員、構成＝香取啓介)

Q47 宇宙は真空なのに、太陽はなぜ燃えているの？　太陽の寿命は？

福井県・吉村文利さんほかからの質問

「核融合」で光っているよ。寿命は100億年くらい

ののちゃん　早起きして、初日の出を見たよ。太陽って、すごく遠いところにあるのに明るいよね。

藤原先生　明るいけれど、地球には太陽から出る光の22億分の1しか届いていないそうよ。

何が燃えて、あんなに明るくなっているのかな。

もし、石炭などを燃やしてあの明るさを出そうとすると、太陽と同じ重さの石炭でも、1500万年くらいで燃え尽きてしまう計算になるんだって。むかし、ケルヴィンという科学者が計算したそうよ。

ええ？　太陽の寿命は？

100億年くらい。ちなみに、いまの太陽の年齢は、46億歳。

あれっ、計算があわないよ。いまも太陽は明るいのに。

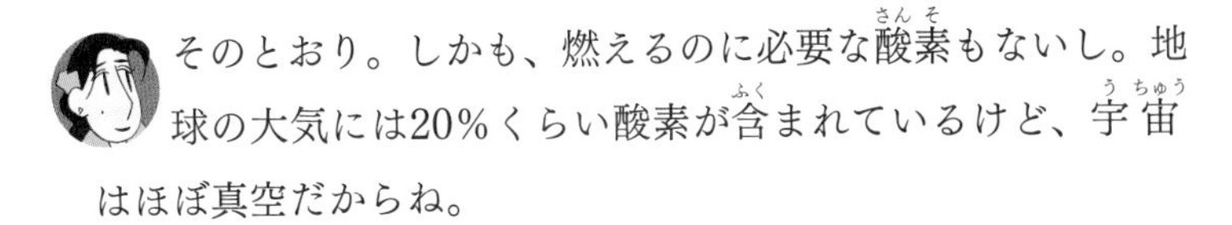
そのとおり。しかも、燃えるのに必要な酸素もないし。地球の大気には20％くらい酸素が含まれているけど、宇宙はほぼ真空だからね。

どうなっているの？

じつは、「燃えている」わけではないの。「核融合」という反応で大量の熱や光をだしているのよ。

んんん？

太陽の表面は約6000度だけど、中心部はとっても高温で1600万度もあるの。核融合反応は、すごく高温になると起きるよ。

どういう反応なの？

太陽は、主に水素でできたガスのかたまりなの。とても大きくて重いから重力も強くて、ガスが逃げられず星の形に固まっているわけ。中心部の水素ガスは強力な重力で押しつぶされ、2400億気圧というすごい圧力になっているんだ。

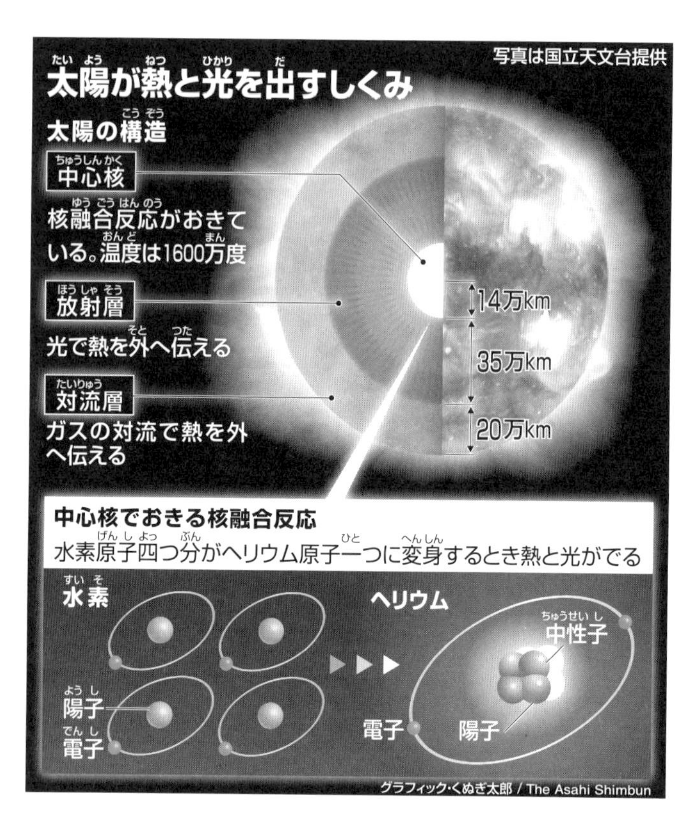

とっても暑苦しそうだね。

この高い圧力と熱でつぶされ、いくつかの反応を経て、四つ分の水素原子核が、1個のヘリウム原子核に融合するのが「核融合」。この反応の際に、ばくだいなエネルギーが光や熱の形で放出されるの。

すごく熱い火の玉だ。

中心部では毎秒400万トンの水素がエネルギーへと変わっている。400万トンといっても太陽の重さは地球の30万倍以上あるから、あと60億年は大丈夫よ。

水素がなくなったら？

水素が全部ヘリウムになったら、今度はヘリウムが核融合反応を起こしてベリリウムを経て、最終的に炭素や酸素ができる。

ベリリウムというのは、宝石のエメラルドなどの成分ね。太陽や地球にある物質なども、もとはこの核融合反応でできたものだといわれているの。

炭素の次はどうなるの？

太陽の重さだと、炭素と酸素になって核融合反応は終わり。

太陽はバランスを崩して火星の軌道をのみ込むほど膨張して燃え尽き、次第に冷えて暗い星になると考えられているよ。

（取材協力＝常田佐久・国立天文台教授、構成＝竹石涼子）

Q48 震度は、なぜ7までなの？ 8や9はないの？

福岡県・藤田朋志さんからの質問

A 震度7が、「最大級の揺れ」と定めたから

ののちゃん　地震があったとき、テレビをつけたら、日本地図の上に、いろんな数字がでていた。

藤原先生　揺れの強さを表す「震度」ね。0、1、2、3、4、5弱、5強、6弱、6強、7の10段階に分かれているの。

基本的には、地震が起きた場所から離れるほど小さくなる。

でも、地盤のかたさとかによっても変わってくる。各地の被害を推定して、素早く支援態勢を築くためにも重要なものなの。

なんで7までなの？　8とか9とか、より強い揺れはないの？

震度7ってどんな揺れか知っている？

知らない。

立っていられないほどで、はわないと動くことができない。固定していない家具はほとんど移動するし飛ぶこともある。耐震性の高い木造建物でもまれに傾くし、耐震性の低い鉄筋コンクリート造の建物は倒れるものが多くなるよ。

つまり震度7は、「最大級の被害をもたらす揺れ」と考えられているの。

当然、避難とか防災対応も最大級になるわ。強い揺れをこれ以上こまかく分けても、とるべき防災対応は変わらないから、7が最大なの。

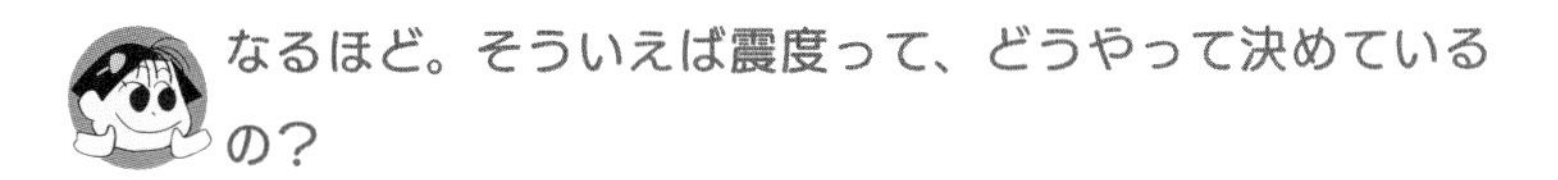

なるほど。そういえば震度って、どうやって決めているの？

昔は気象庁の人がからだで感じた揺れやまわりの被害をみて決めていたけど、感じ方に個人差があるし、地震から速報を出すまで10分以上かかっていたんだよ。

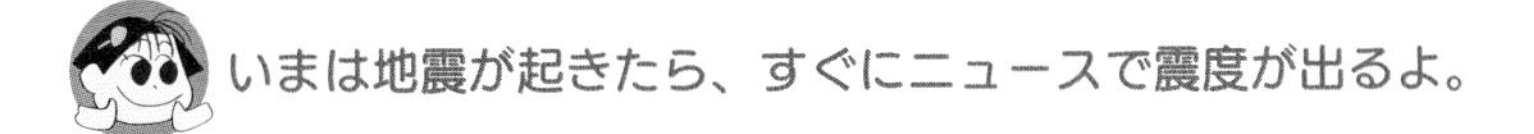

いまは地震が起きたら、すぐにニュースで震度が出るよ。

1996年に震度の出し方が全面的に変わったの。

震度計というもので観測した地震の加速度と周期、揺れが続いた時間から、自動で震度を割り出すようになったよ。

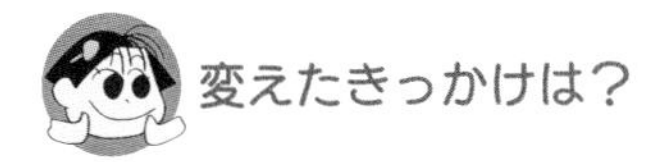

変えたきっかけは？

震度7を観測した過去の地震
1949年以降

- 1995年 兵庫県南部地震（阪神・淡路大震災）
- 2004年 新潟県中越地震
- 11年 東北地方太平洋沖地震（東日本大震災）
- 16年 熊本地震の前震と本震
- 18年 北海道胆振（いぶり）東部地震
- 24年 令和6年能登半島地震

グラフィック・米沢 章憲

95年の兵庫県南部地震で、震度7の地域の確認に時間がかかったことなどね。震度計の登場で、地震が起きてから速報を発表するまでの時間は、約1分半になった。

ほかに震度7が観測された地震はあるの？

気象庁が震度7を定めたのが49年。

それ以降、兵庫県南部地震以外だと、2004年の新潟県中越地震、11年の東北地方太平洋沖地震、16年の熊本地震の前震（4月14日）と本震（同月16日）、18年の北海道胆振東部地震。24年1月1日には、能登半島でも起きた。

今後発生が予想されている南海トラフ巨大地震は、静岡県から宮崎県にかけての一部で震度7になる可能性があるよ。

外国の震度はどうなの？

日本とはちがうよ。建物の壊れやすさは国によってちがうしね。

たとえばアメリカなどで使われている「改正メルカリ震度階級」は12段階に分かれていて、むかしの日本のように体感や被害によるものね。

そういえば最近、また大きな地震があったし、家具の固定とか家の備えを見直さないといけないね。

（取材協力＝気象庁地震火山部、構成＝水戸部六美）

Q49 地震の震源の深さは、なぜわかるの？

栃木県・三森恵美さんからの質問

A 縦波と横波のちがいから算出。速報が大事

ののちゃん　地震が起こると、すぐテレビに情報がでるよね。

藤原先生　そうね。震度3以上を観測した地域の名前が速報で出て、震源や地震の規模（マグニチュード）も発表されるね。

どうしてすぐ、「震源の深さは約20キロメートル」とか、わかるのかな。

まず、震源とは何でしょう。

最初に揺れた場所かな？

ちがいます。地震は、地下の岩盤がある面を境にずれ動く現象で、最初にずれが始まるところが震源。

岩盤がある面？

震源は「点」で示すけど、実際にずれ動くのは広がりのある「面」で断層と呼ばれるの。

断層は小さいものから大きいものまでさまざまだけど、2011年の東日本大震災では、南北約500キロメートル、東西約200キロメートルにおよび、ずれ始めからずれ終わりまで3分くらいかかったのよ。

大きすぎる。地図の×印とイメージが違う。

ちなみに、地図の×印は、震源の真上の地表の点で「震央」というよ。

ややこしい。×は忘れて、まず震源について教えて。どうしてわかるの？

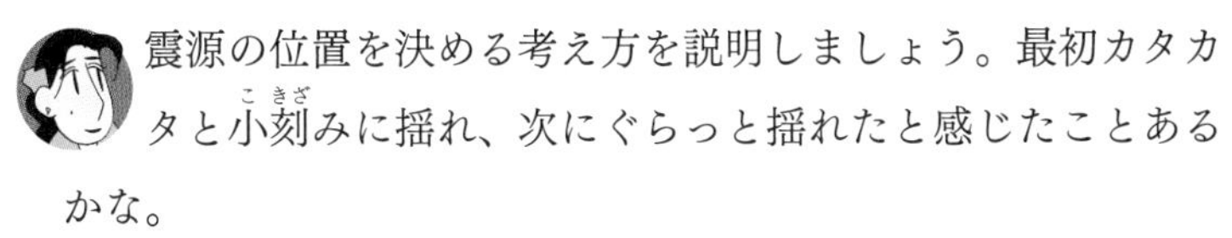
震源の位置を決める考え方を説明しましょう。最初カタカタと小刻みに揺れ、次にぐらっと揺れたと感じたことあるかな。

これは、伝わるのが速い「縦波」の揺れがきたあとで、遅い「横波」が届いたということ。震源からの距離が遠ければ遠いほど、この二つの波の到着時刻の差が大きくなる。

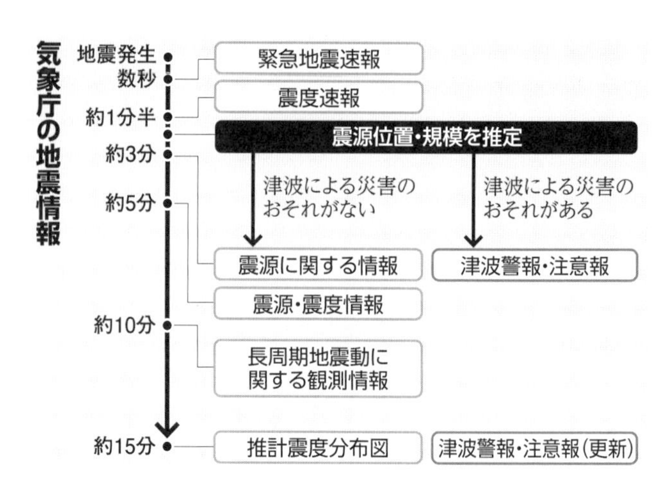

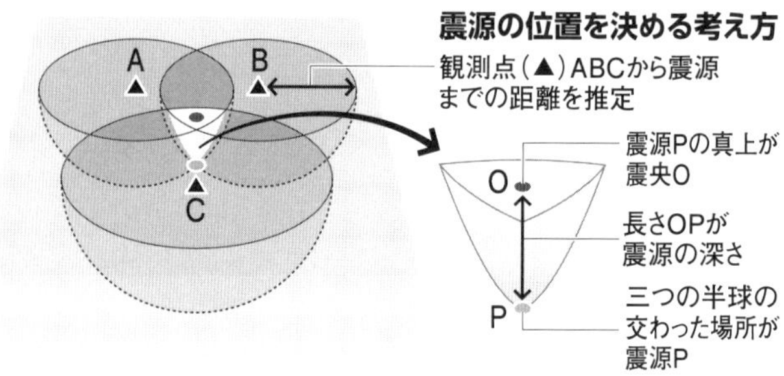

雷（かみなり）の光と音みたいだね。光ってからすぐ音が鳴るときは、近い雷だと教わったよ。

そのとおり。2種類の波の到着時間の差から、だいたい震源からの距離が計算できる。

3ヵ所の観測点からそれぞれ求めた震源までの距離の半径をもつ半球を描き、重なった点が震源になるというわけ。

わかった。震源の位置が決まれば、深さがわかるんだ。

正解。ほかにも震源を決める方法はあり、気象庁は多数の観測データからコンピューターで複雑な計算をして決めているんだって。

震源の位置や地震規模は素早く計算することがとても重要。津波の被害が出る恐れがあれば、津波警報・注意報をだしてただちに避難を呼びかける必要があるからね。

地震直後の情報は「速報」で、さらに詳しく解析して更新した情報は翌日に発表する。

スピードが重要なんだね。

強い揺れに襲われる前に警報を鳴らす緊急地震速報もあるわね。地震は、どこにいるときに起こるかわからないよ。危険がないかまわりを見て、状況に応じて身の安全を守りましょう。

（取材協力＝束田進也・気象庁地震火山技術・調査課長、構成＝瀬川茂子）

Q50 飛んでくるPM2.5が予測できるのは、なぜ？

佐賀県・寺裏咲希さんからの質問

A 気象と発生源のデータから計算しているよ

ののちゃん　春が近づくと、PM2.5ってよく聞くようになるね。

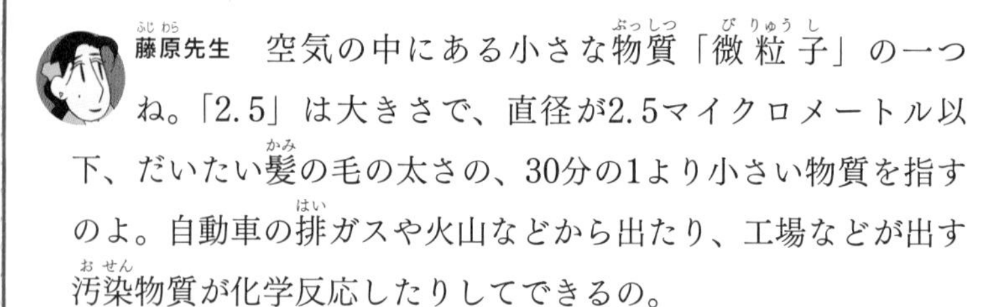

藤原先生　空気の中にある小さな物質「微粒子」の一つね。「2.5」は大きさで、直径が2.5マイクロメートル以下、だいたい髪の毛の太さの、30分の1より小さい物質を指すのよ。自動車の排ガスや火山などから出たり、工場などが出す汚染物質が化学反応したりしてできるの。

天気みたいに予報もだしているみたい。

PM2.5はとても小さくて、肺の奥まで入りやすいといわれているの。

空気の中にいっぱいあるときは、お年寄りや子ども、それにぜんそくみたいに呼吸器の病気がある人は、注意する必要があるのよ。

だから予報で気をつけてもらうんだね。どうやってつくるの？

天気に関する情報を出している日本気象協会だと、コンピューターで「モデル」という特別な計算方法を使って予報をつくるの。大きく二つの分析をして、組み合わせるのよ。

まず、自動車や工場が出す汚染物質の発生場所や量を調べている、国内外の研究機関からデータをもらって、ＰＭ2.5の「材料」がどのくらいあるか調べるの。

もう一つは？

風向きや雨、日射などの気象条件の分析ね。これは気象庁からデータをもらうのよ。

風が強ければ、ＰＭ2.5を遠くまで運ぶし、雨が降れば、ＰＭ2.5が遠くに届く前に洗い流されてしまうこともある。それに、汚染物質は太陽の光が当たることで、ＰＭ2.5に変化するから、日射も大事なの。たとえるなら、ＰＭ2.5のつくり方と届け方を分析するイメージね。

あっ、材料がどのくらいあるかは、さっきわかったよね。

そう。二つの分析を組み合わせることで、汚染物質がどこでＰＭ2.5に変わりそうかとか、できたＰＭ2.5がどの辺

PM2.5はこうやって予測する 日本気象協会の場合

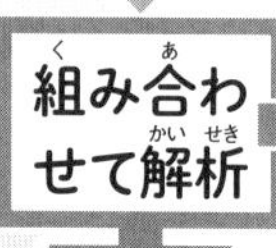

まで届きそうかとか、予報ができるってわけ。

いま、ＰＭ2.5がどのくらいかはわからないの？

大気汚染対策を担当する役所の環境省によると、全国約1000ヵ所に観測装置があって、実際にどのくらいのＰＭ2.5があるのか調べている。予報と組み合わせて使うことで、ＰＭ2.5が心配な人が対策をとるのに役立ててもらえるようにもなっているの。

どんな対策があるの？

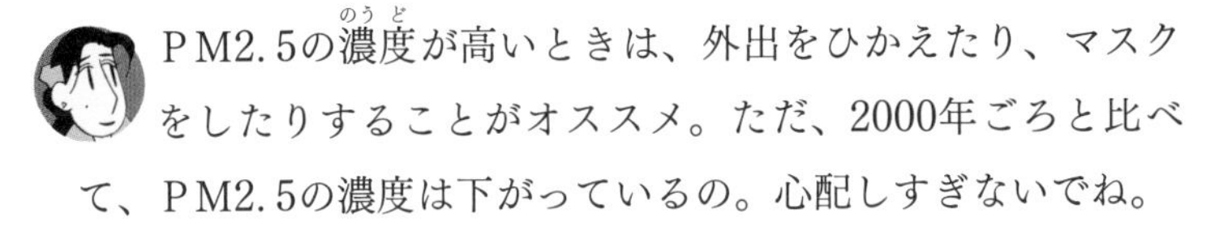

ＰＭ2.5の濃度が高いときは、外出をひかえたり、マスクをしたりすることがオススメ。ただ、2000年ごろと比べて、ＰＭ2.5の濃度は下がっているの。心配しすぎないでね。

（取材協力＝佐々木寛介、宮由可子・日本気象協会、船越吾朗・環境省、構成＝小坪遊）

地球が傾いているのは、どうして？

長野県・村沢咲耶花さんからの質問

地球が生まれたときの、衝突の影響よ

ののちゃん　理科室で地球儀を見たけど、地球は傾いているんだね。

藤原先生　そうね。地球は自分も回転しながら、太陽のまわりをぐるぐる回っているのは知ってるよね。

自転と公転だっけ。

よく覚えていたわね。

　自転する中心を地軸といって、公転の面に対して傾いているの。このために夏は暑く、冬は寒くなるんだけど、どれぐらい傾いているか知ってる？

10度ぐらいかな。

残念、23.4度よ。じゃあ、どうして傾いてるのかな。

わからないなぁ。

それは地球や火星のような岩石でできた惑星が、どうやって生まれたかに関係するの。

惑星は、太陽の引力に引き寄せられ、太陽のまわりを回っていたちりやガスの円盤の中でできたの。円盤の中でだんだんちりとちりがくっついて固まりになり、さらに固まり同士がぶつかりあって大きな岩の固まりができた。

大きな固まりはいくつもあって、激しい衝突が何度も繰り返されたと考えられているの。

そして最後に残った大きな固まりが、地球になったんだね。

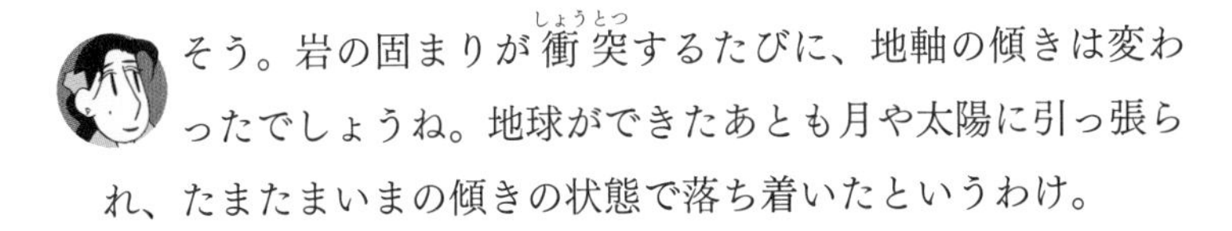
そう。岩の固まりが衝突するたびに、地軸の傾きは変わったでしょうね。地球ができたあとも月や太陽に引っ張られ、たまたまいまの傾きの状態で落ち着いたというわけ。

ほかの星も傾いているの？

火星は地球と同じくらいの25.2度、金星は177.4度ひっくり返っていて、地球とは逆方向に自転しているわ。水星はほぼまっすぐだけど、これは太陽の強い引力を受けたせいらしいわ。

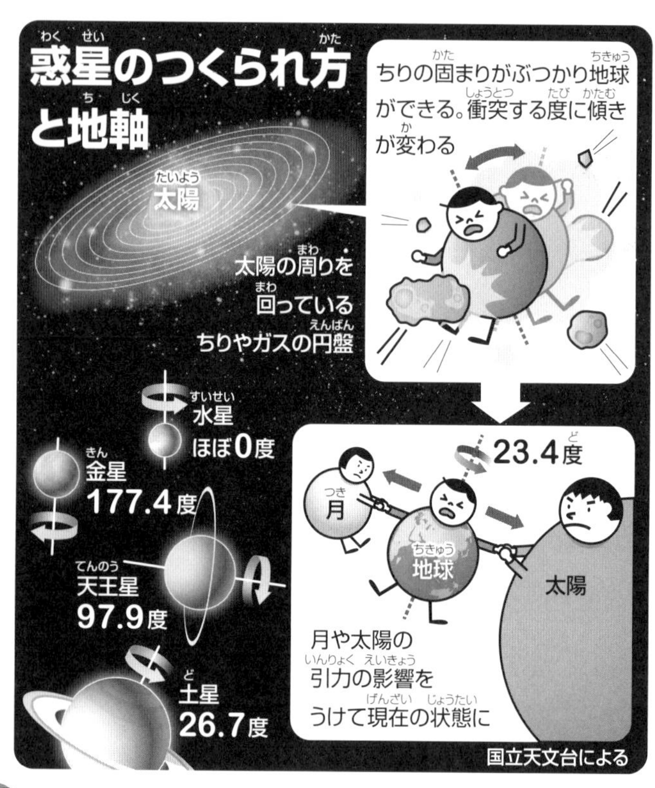

ほかには？

木星はほぼまっすぐに立った3.1度。主にガスからなる惑星は岩石でできた地球などとはちがって、できるときに地軸が動くような激しい衝突がなかったはずだからね。

なるほど〜。土星も？

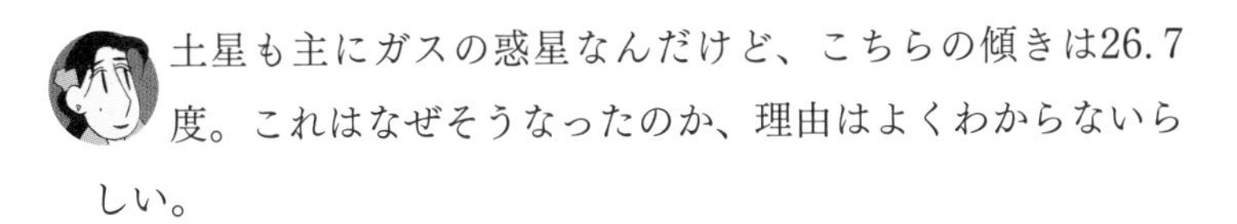

土星も主にガスの惑星なんだけど、こちらの傾きは26.7度。これはなぜそうなったのか、理由はよくわからないらしい。

そうなんだ。

天王星もふしぎね。傾きは97.9度なので、ほぼ横倒しだね。土星にあるような輪や衛星までも地軸と同じ傾きで回っていて、こうなった理由はなぞなの。大きな天体が衝突したためとも考えられるけど。

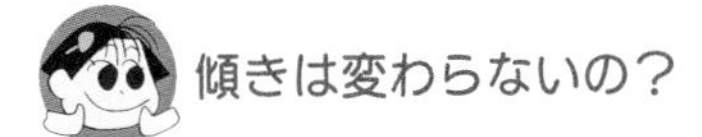

傾きは変わらないの？

ずっと同じじゃないわ。たとえば火星は、ほかの惑星の引力を受けて、数百万年のうちに30〜40度も変わるらしい。でも地球は月の引力が強いために、1度ぐらいしか変わらない。

じゃあ、ちゃんと季節がくるのは、月のおかげなんだね。お月見のときに、ちゃんとお団子をおそなえしてあげないとね。

（取材協力＝小久保英一郎・国立天文台教授、構成＝福島慎吾）

「朝日新聞 ののちゃんのDO科学」初出掲載日一覧

※（　）内は初出時のタイトル

第1章　からだのふしぎ		
01	なぜ、人間には寿命があるの？（なぜ、寿命はあるの？）	2013年4月20日
02	女性は、なぜ男性よりも長生きできるの？（女性はなぜ長生きなの？）	2020年3月7日
03	紫外線が心配！日焼けを防ぐ方法ってあるの？（日焼けを防ぐ方法は？）	2014年8月9日
04	血液型って、血液のどんなちがいなの？（血液型の違いって何だろう？）	2019年1月5日
05	二重に見える！　どうして、乱視になるの？（どうして乱視になるの？）	2017年7月15日
06	走るとおなかが痛くなるのは、どうして？（走るとなぜ腹が痛くなるの？）	2016年11月12日
07	右利きと左利きは、どのように決まるの？（右利きと左利きはどう決まるの？）	2022年1月29日
08	腸内細菌は、どこから腸に入って来たの？（腸内細菌はどこから来る？）	2023年8月26日
09	運動をしないと筋肉が落ちるのは、なぜ？（筋肉が落ちるのはなぜ？）	2022年7月16日
10	子どもの歯は、なぜ生え替わるの？（子どもの歯はなぜ生え替わる？）	2023年3月25日
11	遺伝子って、どのようなしくみなの？（遺伝子って、どんなしくみ？）	2018年6月2日

第2章　生きもののふしぎ		
12	肉食恐竜の前脚は、なぜ短いの？（肉食恐竜の前脚、なぜ短いの？）	2016年10月8日
13	動物は、歯磨きなしでも虫歯にならないの？（動物は歯磨きなしで大丈夫？）	2015年11月28日
14	動物も、花粉症になるの？（動物も花粉症になるの？）	2014年2月15日
15	肉食獣は、生肉を食べても食中毒にならないの？（肉食獣も生肉で食中毒になるの？）	2016年5月21日
16	ネコは、なぜマタタビが好きなの？（ネコはなぜマタタビが好き？）	2012年2月18日
17	マグロは、なぜ泳ぎ続けているの？（マグロはなぜ泳ぎ続けるの？）	2010年1月16日
18	蚊に刺されても、痛くないのはなぜ？（蚊に刺されて痛くないのはなぜ？）	2022年6月18日
19	植物で、プラスチックがつくれるの？（植物で作るプラスチックって？）	2022年1月8日

第3章　食べもののふしぎ		
20	なぜ食べものを、好き嫌いしてしまうの？（なぜ食べ物の好き嫌いがあるの？）	2019年4月13日
21	冷凍食品は、ずっと腐らないの？（冷凍食品はずっと腐らないの？）	2017年6月24日
22	お店のつぎ足しのタレって、腐らないの？（つぎ足しのタレは腐りにくいの？）	2022年10月29日
23	キノコの毒は、なぜあるの？（キノコの毒はなぜあるの？）	2016年9月24日
24	缶詰は、半永久的に食べることができるの？（缶詰は半永久的にもつのかな？）	2018年4月21日
25	みそ汁は、沸騰させちゃダメなの？（みそ汁は沸騰させちゃダメ？）	2016年6月25日

26	硬水と軟水は、何がちがうの？（硬水と軟水は何が違うの？）	2023年２月25日
27	渋柿を干し柿にすると、どうして甘くなるの？（干し柿はどうして甘くなるの？）	2009年２月22日
28	梅干しはすっぱいけれど、酸性なの？　アルカリ性なの？（梅干しは酸性？アルカリ性？）	2022年５月28日

第４章　社会と科学のふしぎ

29	「チャットGPT」って、どんな役に立つの？（「チャットGPT」って何ですか？）	2023年６月３日
30	テフロンの調理器具は、なぜ焦げつかないの？（テフロンなぜ焦げつかない？）	2012年10月27日
31	自転車は二輪なのに、どうして倒れないの？（自転車はなぜ倒れないの？）	2019年４月27日
32	太陽電池で電気をつくるしくみは、どうなっているの？（太陽電池のしくみは？）	2009年８月22日
33	山のトイレのしくみは、どうなっているの？（山のトイレの仕組みは？）	2012年４月28日
34	信号機の「赤」は、なぜ一番右にあるの？（信号機の「赤」、なぜ一番右？）	2016年１月23日
35	鉄の船は重いのに、どうして沈まないの？（鉄の船はどうして浮かぶの？）	2008年８月31日
36	うめ立て地は、どうやってつくるの？（うめ立て地はどうやってつくる？）	2022年３月12日
37	大きなクレーンを、ビルの上にどうやって上げるの？（ビル上のクレーン、どう上げたの？）	2009年９月５日
38	偏差値って、どういうものなの?（偏差値ってなんなの？）	2009年９月19日
39	バーコードのしくみって、どうなっているの？（バーコードってどんな仕組み？）	2009年８月８日
40	放射線を見えるようにする方法って、あるの？（放射線を見る方法ってある？）	2020年２月29日
41	インフルエンザのワクチンは、どうやってつくるの？（インフルのワクチンどう作る？）	2018年２月17日
42	温暖化が止まる？　核融合発電のしくみを教えて！（核融合発電のしくみは？）	2023年７月15日

第５章　宇宙と地球のふしぎ

43	宇宙の果ては、どうなっているの？（宇宙の果てはどうなっているの？）	2022年５月21日
44	温暖化しているのに、なぜ大雪が降るの？（温暖化なのになぜ大雪が降るの？）	2019年３月２日
45	線状降水帯になると、どうして大雨が降るの？（線状降水帯って何？）	2023年９月16日
46	世界の森が消滅危機！　地球の酸素はなくならないの？（地球の酸素はなくならないの？）	2014年６月７日
47	宇宙は真空なのに、太陽はなぜ燃えているの？ 太陽の寿命は？（太陽は真空でなぜ燃える？）	2013年１月５日
48	震度は、なぜ７までなの？　８や９はないの？（震度はなぜ７までなの？）	2022年６月25日
49	地震の震源の深さは、なぜわかるの？（地震の震源の深さはなぜわかる？）	2023年９月30日
50	飛んでくるＰＭ２．５が予測できるのは、なぜ？（ＰＭ２．５はどう予測するの？）	2017年１月28日
51	地球が傾いているのは、どうして？（地球はなぜ傾いているの？）	2014年７月５日

[著者紹介]

朝日新聞科学みらい部

東京本社と大阪本社に経験豊富な記者を配し、主に科学や環境、最新のテクノロジー、原子力などの分野を精力的に取材。最先端の科学から生物多様性、パンデミック、SDGsなどについてもSNSなどで強力に発信。むずかしいことをだれにでもわかるように、ときに図解やマンガも交え、記事にしている。著書に、前身の科学医療部として『今さら聞けない科学の常識』シリーズ（講談社）、『ニュートリノ　小さな大発見』（朝日新聞出版）など多数、がある。

イラスト：いしいひさいち
装幀：モノストア（日高慶太、庭月野 楓）
本文レイアウト：新藤慶昌堂

「ののちゃんのDO科学」でサイエンスが好きになる

大人も知らない 科学のふしぎ

2024年3月4日　第1刷発行

著　者　朝日新聞科学みらい部
発行者　清田則子
発行所　株式会社 講談社
〒112-8001　東京都文京区音羽2-12-21
（販売）03-5395-3606
（業務）03-5395-3615

KODANSHA

編　集　株式会社講談社エディトリアル
代表　堺 公江
〒112-0013　東京都文京区音羽1-17-18　護国寺SIAビル6F
（編集部）03-5319-2171
印刷所　株式会社新藤慶昌堂
製本所　株式会社国宝社

N.D.C.751.1　223p　19cm　© 朝日新聞社 © いしいひさいち
2024, Printed in Japan　ISBN978-4-06-534399-9